Sandra Glover • DU

D0320143

cbt

DIE AUTORIN

Foto: © privat

Sandra Glover ist in Manchester geboren und hat zunächst als Lehrerin gearbeitet, bevor sie für Jugendliche zu schreiben begann. In jüngster Zeit hat sie sich in England als Autorin, die spannende Romane zu aktuellen Themen verfasst, einen Namen gemacht. »DU« ist ihr erster Roman bei cbt.

Sandra Glover

DU

Aus dem Englischen
von Kattrin Stier

cbt – C.Bertelsmann Taschenbuch
Der Taschenbuchverlag für Jugendliche
Verlagsgruppe Random House

FSC

Mix
Produktgruppe aus vorbildlich
bewirtschafteten Wäldern und
anderen kontrollierten Herkünften

Zert.-Nr. SGS-COC-1940
www.fsc.org
© 1996 Forest Stewardship Council

Verlagsgruppe Random House FSC-DEU-0100
Das für dieses Buch verwendete FSC-zertifizierte
Papier Munken Print liefert Arctic Paper
Munkedals AB, Schweden.

1. Auflage
Deutsche Erstausgabe Juni 2006
Gesetzt nach den Regeln der Rechtschreibreform
© 2003 by Sandra Glover
Die englische Originalausgabe erschien 2003
unter dem Titel
»YOU« bei Andersen Press Ltd., London
© 2006 der deutschsprachigen Ausgabe bei
cbt/cbj Verlag, München in der Verlagsgruppe
Random House GmbH
Alle deutschsprachigen Rechte vorbehalten
Übersetzung: Kattrin Stier
Lektorat: Stefanie Rahnfeld
Umschlagfoto: Fotosearch
Umschlagkonzeption: init.büro für gestaltung,
Bielefeld
st · Herstellung: CZ
Satz: Buch-Werkstatt GmbH, Bad Aibling
Druck und Bindung: GGP Media GmbH, Pößneck
ISBN-10: 3-570-30178-8
ISBN-13: 978-3-570-30178-4
Printed in Germany

www.cbj-verlag.de

Kapitel 1

Ist doch klar, dass ich sie mitnehmen musste, oder? Ich hätte doch nicht einfach nur meinen Kaugummi kaufen und wieder rausgehen können. Nicht nachdem ich die Überschrift gelesen hatte.

Die meisten großen Zeitungen hatten etwas über Friedensgespräche in den Schlagzeilen. Ein paar Revolverblätter hetzten über irgendeinen Showmaster, aber die Zeitung, die jetzt vor mir auf dem Tisch liegt, hat den Aufmacher »Strafen für jugendliche Straftäter zu milde?«.

»Und, was darf's sein?«

Ich schieße fast von meinem Platz hoch, als mich die Stimme anknurrt. Der Kellner muss mich für total bescheuert halten. Er wartet genervt und gelangweilt, während ich nach dem laminierten Wisch greife, der hier als Speisekarte dient.

»Äh … ein Sandwich mit Salat und einen Cappuccino bitte.«

»Sonst noch was?«, fragt er, als hätte es sich nicht gelohnt, zu mir an den Tisch zu kommen.

»Nein … danke.«

Er zuckt die Schultern und schlurft davon, und ich

kann nicht umhin zu bemerken, was für einen süßen Hintern er hat. Er ist überhaupt irgendwie süß. Groß, trotz der schlechten Haltung, ganz schmale Hüften, dunkle Haare und olivfarbene Haut. Er könnte Italiener oder so sein, obwohl sein Tonfall deutlich nach Liverpool klingt ... oder eher Birmingham? Dialekte waren noch nie meine Stärke. Auch sein Gesicht wäre ganz okay, wenn er nicht die ganze Zeit so unfreundlich schauen würde. Ich frage mich, ob ich's schaffe, ihn zum Lächeln zu bringen.

Ich glaube, ja, denn er zwinkert mir zu, während er am nächsten Tisch wartet. Er zeigt eindeutig Interesse. Aber nein. Finger weg, Josie. Er sieht aus wie ein »mieser Kerl« – einer von der Sorte, vor der mich Moira immer warnt. Genau wie vor Alkohol, Drogen und dem ganzen anderen Zeug, das mir mein Leben kaputtmachen könnte. Moira denkt wahrscheinlich, dass bei mir schon genug kaputt ist und ich nicht noch zusätzliche Probleme brauche. Und da hat sie Recht. Da hat sie ganz eindeutig Recht.

»Konzentrier dich ganz aufs College, Josie«, sagt sie immer. »Sieh zu, dass du deine Ausbildung fertig kriegst.«

Also achte ich nicht weiter auf den Kellner aus Liverpool-Birmingham-Italien und verstecke mich hinter meiner Zeitung. Lese den Artikel noch einmal. Fühle, wie sich mein Magen verkrampft und wie die Stelle direkt über meinem rechten Auge zu pochen beginnt.

Die Zeitung ist wenig begeistert von den Verlautbarungen der Europäischen Menschenrechtskommission oder den jüngsten Reformen des Innenministeriums. Auch nicht davon, dass jugendliche Straftäter gemeinnützige Arbeit leisten sollen, und die Verkürzung des Strafmaßes passt ihnen ebenfalls ganz und gar nicht.

Ich hab sogar den Eindruck, dass die Zeitung und die Mehrheit ihrer Leser am liebsten die Prügel- und die Todesstrafe wieder einführen würden. Na also ... auf der Seite mit den Leserbriefen macht tatsächlich jemand so einen Vorschlag.

Die Zeitung klagt, die Gesetze seien auch schon vor den letzten Änderungen nicht hart genug gewesen, und sie haben jede Menge alte Fälle ausgegraben, um ihre Position zu untermauern.

Der Fünfzehnjährige, der einen Rentner beklaut hat und anschließend nicht nur freigesprochen wurde, sondern auch noch auf Entschädigung klagte, weil ihm der Rentner mit seinem Krückstock eins übergebraten hatte.

»Ein Skandal!«, meint die Zeitung.

Der Junge, der seinen Lehrer angegriffen und später mit Erfolg die Schule verklagt hat, weil man hier nicht auf seine »besonderen Bedürfnisse« eingegangen war.

»Wo bleibt hier die Gerechtigkeit?«, fragt die Zeitung.

Der uralte Thompson-und-Venables-Fall. Sogar die Mary-Bell-Affäre von Mitte letzten Jahrhunderts haben sie wieder ausgegraben! Wie viel Zeit muss eigentlich vergehen, bis man die Leute endlich in Ruhe lässt?

Natürlich haben sie auch die aktuelleren Sachen nicht ausgelassen. Lang und breit regen sie sich darüber auf, dass man dich vorzeitig entlassen hat, Alex.

Ihre armen Leser hätten Angst, behauptet die Zeitung. Wohin genau hat man dich entlassen? Was wäre, wenn du nun zufällig in ihrer Stadt lebst? In ihrer Straße? Wären sie dann noch sicher? Wären ihre Kinder dann noch sicher?

Wahrscheinlich nicht, denn über sechzig Prozent der entlassenen jugendlichen Straftäter werden erneut straffällig, behauptet die Zeitung. Eine wahrhaft erschreckende Statistik, wenn das so stimmt.

»Sandwich mit Salat und Cappuccino. Bist du sicher, dass ich nicht doch noch was für dich tun kann?«

Gegen meinen Willen fahre ich wieder zusammen, und der Kellner denkt bestimmt, er hätte so einen elektrisierenden Effekt auf mich, denn er zwinkert mir zu und lächelt diesmal sogar.

»Nein. Nichts.«

Ich betone das »nichts«. Er hat schon kapiert und zieht ab. So ist es gut. Braves Mädchen, Josie. Lass dich nicht von den bösen Jungs verführen.

Das Problem ist, dass ich auch mit den braven Jungs nichts anfangen darf. Da ist zum Beispiel dieser Typ am College, Graham. Sooft ich kann, setze ich mich hinter ihn. Manchmal dreht er sich um und lächelt, ich weiß also, dass er mich mag. Aber nur weil er mich nicht kennt. Und ich will auch nicht, dass er mich kennen lernt. Ich will nicht, dass mir einer zu nahe kommt.

Das ist einer der Gründe, warum ich eher für mich bleibe. In der Stadt esse statt irgendwo auf dem Campus. Immer woanders. So falle ich keinem auf. Keiner kommt an mich ran, stellt irgendwelche Fragen.

Selbst die einfachsten Fragen bringen mich manchmal total aus dem Konzept.

»Und, wo kommst du her?«

»Hast du noch Geschwister?«

Unheimlich. Die meisten Leute checken vermutlich gar nicht, wie viele Fragen sie im Laufe eines Tages gestellt bekommen. Für die meisten Leute sind Fragen einfach nur Fragen. Für mich sind es Tretminen, die nur darauf warten, mit mir in die Luft zu fliegen. Denn die Wahrheit kann ich ja unmöglich erzählen. Und Lügen ist oft schwerer, als man glaubt.

Klar, ich weiß schon, dir ist das Lügen nie schwer gefallen, Alex. Für dich war es so normal wie Atmen. Aber bei mir ist es anders. Große, komplizierte Lügengebäude sind schwer zu merken, deswegen hab ich immer Angst, einen Fehler zu machen.

Ich nippe an meinem Cappuccino und knabbere ein bisschen an dem Sandwich herum. Dann bemerke ich, dass mir in der Zeitung noch etwas entgangen ist. Es sind nicht nur die Titelseite, Seite 2, Seite 3 und die Leserbriefe. Auch auf Seite 14 steht noch ein Artikel. Da haben sie ein paar Familien, Freunde und Nachbarn der Opfer interviewt.

Deine Opfer, Alex! Und ich muss meinen Cappuccino und das Sandwich beiseite schieben, damit ich die Zeitung auf den Tisch legen kann, so sehr zittern mir die Hände.

Was sie alles mit dir machen würden, wenn sie dich in die Finger kriegten! Das wird natürlich nicht passieren. Du bist gut geschützt, schätze ich, und das ist noch so ein Punkt, über den sie sich in der Zeitung aufregen. Wie viel es kostet, Leute wie dich einzubuchten. Und wie viel mehr du dann noch jahrelang nach deiner Entlassung kostest.

Und es sind ja nicht nur die Straftäter allein, wie der Artikel hilfreich erläutert. Auch Familienangehörige benötigen oft Hilfe, Therapie, Beratung. Und all das auf Kosten des Steuerzahlers.

Und dann müssen die Familien ebenso wie die Straftäter neue Wohnungen und neue Namen bekommen. Anderenfalls würde man ihnen schließlich die Fenster einschmeißen. Oder Todesdrohungen an die Wand sprühen und brennende Zeitungen durch den Briefschlitz schieben.

Irgendwie werde ich das Gefühl nicht los, dass die Zeitung und ihre Leser sich das Geld lieber sparen würden und sie alle stattdessen ihrem Schicksal, den Rachsüchtigen, Hobby-Sheriffs und anderen Durchgeknallten überlassen würden.

Vielleicht liegt es am Ton des restlichen Artikels. Oder vielleicht an den Begriffen, mit denen sie dich beschreiben, Alex: »böse«, »psychotisch«, »ein Tier«, »verwirrt«, »verrückt«, »abstoßend«, »bösartig«, »unnatürlich«.

Einen Augenblick lang, einen verrückten Augenblick

lang, möchte ich aufspringen, die Zeitung herum-
schwenken und schreien, dass das alles ganz falsch ist.
So war es gar nicht. So warst *du* gar nicht.

Aber ich tue es nicht. Das Problem ist nämlich, dass sie
Recht haben. Ich würde dich gerne verteidigen, und ein
Teil von mir meint, ich sollte das tun, aber ich kann es
nicht. Nicht einmal mir selbst gegenüber.

»Glotz mich nicht so an!«

»Wie bitte?«, meint der Kellner und dreht sich um.

»Äh ... nichts«, sage ich.

Wie kann ich ihm erklären, dass ich nicht mit ihm,
sondern mit dir geredet habe?

Es wird immer schlimmer, es wird ganz eindeutig
schlimmer. Zuerst hab ich dich nur nachts gesehen.
Schlechte Träume. Albträume, aus denen ich aufgewacht bin, schreiend, dass du abhauen solltest, mich in
Ruhe lassen.

Dann bist du plötzlich auch zu anderen Zeiten aufgetaucht.

»Das ist ganz in Ordnung«, meinte eine meiner The-
rapeutinnen, als ich es ihr erzählte. »Bei Fällen wie deinem kann so was vorkommen. Aber wenn du dich den
Tatsachen stellst, wenn wir erst einmal über alles gesprochen haben, dann werden diese Halluzinationen
verschwinden, das verspreche ich dir.«

Aber so war es nicht. Höchstens für kurze Zeit. Aber
seit deiner Entlassung vor acht Monaten ist es wieder
mehr geworden. Erschreckender. Bedrohlich. Als wolltest du mir klar machen, dass du es schaffen wirst, wie-

der in mein Leben hineinzuplatzen und mich auf Abwege zu führen. Und alles kaputtzumachen, wie du es immer getan hast.

»Dieser Teil deines Lebens liegt jetzt hinter dir«, erklärt Moira mir manchmal. »Du musst nach vorne schauen, Josie. Alex ... und was damals geschehen ist, das ist vorüber. Vorbei. Du musst einfach anfangen, daran zu glauben, Josie.«

Und wie gerne würde ich ihr glauben. Wie gerne würde ich tun, was sie sagt.

Aber wie kann ich das, wenn du zu allen Tages- und Nachtzeiten plötzlich auftauchst und mich derart verfolgst?

Ich habe zum GCSE und zum A-Level Shakespeare gemacht. Kannst du dir das vorstellen? Dass ich einen Schulabschluss mache und jetzt sogar studieren kann? Dass ich Shakespeare lese? Aber es war gar nicht so langweilig, wie du vielleicht denkst. Es war total gut. In beiden Stücken, die wir durchgenommen haben, »Macbeth« und »Hamlet«, kam ein Geist vor. Und mein Lehrer hat gesagt, dass Shakespeare etwas über Geister geschrieben hat, weil die Leute damals daran geglaubt haben. Wir sollten unsere Fantasie gebrauchen und so tun, als lebten wir selbst in dunklen, abergläubischen Zeiten.

Aber ich musste gar nicht so tun, als ob. Mit den dunklen Zeiten und den Geistern. Ich wusste genau, wie Hamlet sich gefühlt hat, als er seinen Vater in den Wehrgängen dieses Schlosses herumstreichen sah. Ich weiß, warum Macbeth ausgerastet ist, als er Banquo mit eingeschlagenem Schädel am Tisch sitzen sah.

Weil ich dich die ganze Zeit sehe.

Durchgeknallt. Boshaft. Mit deinem irren Grinsen auf dem Gesicht.

Ja klar, alle sagen mir, dass du jetzt gar nicht mehr so bist. Dass du dich verändert hast und das, was du gemacht hast, als falsch ansiehst, Reue zeigst. Dass du keine Gefahr mehr für andere bist. Sonst hätten sie dich ja auch nicht rausgelassen, oder?

Na ja, ich hoffe, dass sie Recht haben, Alex. Ich hoffe, dass man dich guten Gewissens in die große weite Welt entlassen kann. Ich bin mir da nämlich nicht so sicher. Und selbst wenn du keine Gefahr mehr für andere darstellst, dann bist du immer noch eine Gefahr für mich. Das wirst du immer bleiben.

Ob eingesperrt oder frei, für mich macht das nicht viel Unterschied. Du bist immer da. Verhöhnst mich. Erinnerst mich an das, was geschehen ist. Versuchst, mir die Schuld in die Schuhe zu schieben. Aber so war es nicht. Es war deine Schuld, Alex. Deine, und nicht meine!

»Also lass mich in Ruhe!«

Das Ehepaar am Nachbartisch dreht sich nach mir um. Und ich weiß, dass ich es schon wieder getan habe. Laut vor mich hin gesprochen.

Und genau das passiert dann, Alex. Ich brauch nur an dich zu denken und schon benehme ich mich seltsam. So stark bist du. Trotz all der Hilfe, die ich bekommen habe, gibt es einen Teil von mir, der sich dir nicht entziehen kann. Einen Teil, für den du immer noch sichtbar bist.

Und dabei bringt es nicht viel zu wissen, dass wir im 21. Jahrhundert leben und dass es in Wirklichkeit keine Geister gibt und die Dunkelheit nur innen drin ist. Du bist ja noch nicht mal tot, Alex. So ein Pech. Ich weiß also, dass du gar kein richtiger Geist sein kannst. Aber das macht die Sache nur noch schlimmer. Zu wissen, dass ich selbst dich heraufbeschwöre.

Ich kneife die Augen zusammen. Gebe mir alle Mühe, dich wegzudrängen. Aber ich schaff's nicht. Du bist immer noch da, Alex. Teil meines Lebens. Teil meiner Vergangenheit. Und wirfst deinen dunklen Schatten über meine Gegenwart, meine Zukunft.

Dabei muss ich an das verrückte Spiel denken, das wir als kleine Kinder immer gespielt haben. Wir sind auf dem Spielplatz rumgerannt und haben versucht, unsere Schatten abzuschütteln.

Das ist mir damals ebenso wenig gelungen wie heute.

Und das Schlimmste ist, dass du so echt aussiehst, wie du da sitzt und grinst und mich zu dir zurückziehst, mich hineinziehst.

Jeden Augenblick wirst du dich vorbeugen und mir etwas zuflüstern. Du wirst mir erzählen, woran du dich erinnerst. Und wirst mich zwingen, mich ebenfalls zu erinnern.

Kapitel 2

Du warst immer schon so richtig durchgeknallt. Selbst an den Maßstäben unserer Siedlung und unserer Schule gemessen. Mann, was waren wir für eine Klasse! Schon als Grundschüler haben wir alle drei Monate oder so eine neue Lehrerin bekommen, weil die alte rausgeflogen war oder einen Nervenzusammenbruch hatte. Manchmal auch beides.

Ich glaube nicht, dass es auch nur ein Kind in der Klasse gab, das nicht irgendein Problem hatte. Arbeitslose Eltern, die sich alle Mühe gaben, die Kinder mit Sozialhilfe großzuziehen. Eltern, die krumme Dinger drehten, um ihre Rechnungen zahlen zu können, und schließlich im Gefängnis landeten. Familien, die Opfer von Verbrechen waren. Depressive Familien. Kranke Familien. Klar, sie haben sich echt bemüht. Aber ich glaube, es ist nicht so einfach, wenn man keine Arbeit und kein Geld hat und nichts, worauf man sich irgendwie freuen kann.

Der ganze Stress führte vermutlich auch dazu, dass viele Ehen kaputtgingen, denn es gab jede Menge getrennte Familien. Getrennt! Was rede ich da? Manche von uns kamen aus Familien, die so oft getrennt worden waren, dass unsere Stammbäume wie riesige Puzzles aussahen.

Nicht dass die Lehrer so blöd gewesen wären, uns einen Stammbaum malen zu lassen. Das war viel zu riskant, wo doch Joeys Dad mit Haris Mutter zusammenlebte, deren erster Ehemann inzwischen mit Jasons siebzehnjähriger Schwester angebandelt hatte. Jeder Versuch herauszukriegen, wer zu wem gehörte, hätte einen Aufstand heraufbeschworen.

Und normalerweise reichte schon sehr viel weniger als Auslöser für einen Aufstand. Meistens herrschte das totale Chaos. Die Kids mit dem Aufmerksamkeits-Defizit-Syndrom kletterten auf die Tische und schmissen mit den Stühlen um sich. Der mit dem Tourette-Syndrom brüllte alle Schimpfwörter rauf und runter mitsamt denen, die man in keinem Wörterbuch findet, während die paar Kinder, die tatsächlich was lernen wollten, sich alle Mühe gaben und meistens scheiterten.

Das Problem war doch, dass die ruhigen Kinder, die eher normalen, irgendwie in den Hintergrund gedrängt wurden. Während solche wie du mit ihren Aktionen ständig die Aufmerksamkeit auf sich gelenkt haben. Schlimmer noch, meistens hast du ja sogar ein paar von ihnen dazu gebracht, bei dir mitzumachen. Du hast jeden mit runtergerissen. Das scheint irgendwie deine Spezialität zu sein …

Und weißt du auch, warum, Alex? Weil du eifersüchtig warst. Versuch gar nicht erst, es zu leugnen. Du warst es nämlich. Eifersüchtig auf die schlauen, die glücklichen Kinder, auf alle, bei denen es gut lief. Deswegen hast du versucht, es ihnen zu verderben, indem du dich aufgespielt, Blödsinn gemacht und sie tyrannisiert hast.

Die meisten Kids hatten ein bisschen Angst vor dir. Manche waren geradezu in Panik. Wie der arme Tyrone. Der mit angezogenen Knien dasaß und hin und her schaukelte, sich die Ohren zuhielt und vor sich hinnickte, während du die Lehrerin angeschrien und beschimpft hast. Tyrone war Autist, glaub ich, oder hatte er das Asperger-Syndrom?

Damals kannte ich diese ganzen tollen Begriffe und Bezeichnungen für die Syndrome natürlich noch nicht. Ich wusste noch nicht mal so richtig, dass überhaupt was nicht in Ordnung war mit uns allen. Ich dachte einfach, wir wären ganz normale Kinder. Ein bisschen ungestüm und wild vielleicht, aber bitte schön, doch ganz normal.

Erst mit all den Fachbegriffen, die ich durch die Therapie und die Beratungsgespräche und das ganz Zeug gelernt habe, kann ich rückblickend die verschiedenen Symptome einigen meiner Klassenkameraden zuordnen.

Ich weiß aber noch immer nicht, ob man eigentlich alle richtigen Begriffe und Syndrome gefunden hat, die auf dich zutreffen. Du warst eben ein Einzelfall.

Andere Kinder konnten die Lehrer auch zum Schreien, Wüten, Zittern und Bibbern bringen, aber nur du warst in der Lage, sie wirklich körperlich krank zu machen. Wie damals – du warst erst in der dritten Klasse –, als sie den Igel auf dem Sportplatz der Schule gefunden haben. Oder vielmehr das, was von dem Igel übrig war. Nämlich ein paar schwarz verkohlte Stacheln in einer alten Keksdose.

Irgendjemand, ich weiß nicht genau, wer, hatte angedeutet, es hätte etwas mit dir, einer Dose abgesaugtem Benzin und einem geklauten Feuerzeug zu tun.

»Warum machst du solche Sachen, Alex?«, hatte Mrs Kerr kopfschüttelnd gefragt.

»Ich war's nicht, Miss!«, hast du geantwortet und sie mit so großen blauen Unschuldsaugen angeschaut, dass sie versucht war, dir zu glauben.

Damals hattest du dir gerade die Haare abrasiert, glaub ich. Du wolltest hart aussehen. Aber ganz egal, was du mit dir angestellt hast, du bist diesen Baby-Look nie wirklich losgeworden. Und auch wenn du es gehasst hast, konnte es doch manchmal ganz nützlich sein.

»Ich war's nicht, Miss«, hast du beteuert. »So was würd ich nie tun. Nicht mit einem Tier. Ich mag Tiere.«

Sie kam ins Schwanken. Ja, tatsächlich, sie schwankte, wollte dir gerne glauben. Es war allerdings verzwickt, weil es drei Zeugen gab, die behaupteten, sie hätten dich gesehen. Drei »nette« Kinder aus der Sechsten.

»Oh, Alex, warum?«, sagte Mrs Kerr wieder.

Ich glaube nicht, dass Mrs Kerr eine Antwort bekam. Wie auch. Du hättest es nicht gewusst, oder? Du hättest nicht gewusst, warum du es getan hast. Das wusstest du nie.

»Sieh mal, Alex«, versuchte sie es anders. »Ich will ja gar nicht behaupten, dass du es gewesen bist. Das kann sein, es kann auch nicht sein. Aber ich will, dass du mal über dieses arme Tier nachdenkst. Ich möchte, dass du versuchst zu verstehen, wie es gelitten hat. Welche Qualen es durchgemacht hat, während es bei lebendigem Leib verbrannt ist. Verstehst du, was ich sage, Alex?«

Du hast genickt.

»Und, kannst du es mir sagen, Alex? Kannst du mir sagen, wie sich das arme kleine Tier gefühlt hat?«

»Heiß«, hast du gesagt.

Und da hat sie dir eine runtergehauen. Irgendjemand ist losgerannt und hat es der Direktorin gemeldet und das war das Ende von Mrs Kerr.

Aber sie hatte dich missverstanden, oder? Sie dachte, du wolltest witzig oder frech sein. Sie kannte dich nicht. Sie war erst seit ein paar Monaten da. Eine Vertretungskraft, glaub ich.

Nicht alles, was du gemacht hast, war so gestört. Vieles war sogar ziemlich lustig. Du hast dich wohl gefühlt in deiner Rolle als Klassenclown, stimmt's? Es hat dir Spaß gemacht, die Reißnägel auf den Lehrerstuhl zu legen. Den großen Plastikfrosch ins Klo und die echte Schnecke in Sunitas Brotdose zu schmuggeln.

Und dann die Sache in der Vierten, als du mit einem komplett bandagierten Arm in der Schlinge aufgetaucht bist und erzählt hast, du wärst vom Garagendach gefallen. Leider war es der rechte Arm, sodass du eine Ewigkeit nichts machen konntest. Wochenlang. Und alle hatten super Mitleid mit dir. Bis Vince Matthews versuchte, sich in der Schlange beim Mittagessen vorzudrängeln, und du sauer wurdest und auf ihn losgegangen bist. Mit deinem rechten Arm!

»Na ja, mein Arm ist jetzt schon viel besser«, hast du der Frau in der Cafeteria erklärt.

Nur dass er sowieso nie gebrochen gewesen war, oder?

Seltsamerweise konntest du aber ein paar Monate später einen ganz ähnlichen Trick versuchen und keiner hat es gemerkt. Dir hätte man einfach alles abgekauft, sogar …

Nein, das werd ich jetzt nicht sagen. Das wäre nicht angemessen. »Angemessen« – wie gewählt ich mich inzwischen ausdrücken kann …

Das konnten wir damals nicht. Vielleicht wäre es besser gewesen, wenn wir etwas öfter in die Schule gegangen wären. Aber das taten wir nicht. Bei keinem von uns hätte man den Schulbesuch als regelmäßig bezeichnen können.

Und bei dir ganz sicher nicht. Dabei glaube ich gar nicht, dass du wirklich Schule schwänzen wolltest. Eigentlich hattest du gar nichts gegen Schule. Es war ja immer ganz witzig da. Aber du bist morgens einfach nicht aus dem Bett gekommen, und wenn du dich dann endlich mal hochgerappelt hattest, lohnte es sich oft schon nicht mehr hinzugehen.

Manchmal bist du dann einfach zu Hause geblieben,

hast ferngesehen und Videospiele gespielt, während deine Mutter ihren Rausch ausgeschlafen hat. Sobald du gehört hast, wie sie aufstand, hast du dich heimlich rausgeschlichen und bist in die Stadt gegangen. Irgendeinen hat man da immer getroffen. Einen, der auch Schule schwänzte. Noch einen, dessen Eltern entweder nichts mitkriegten oder sich um nichts scherten.

Manchmal sammelten wir uns in richtig großen Banden, vor allem im Sommer. Zusammen sind wir dann durch die Läden gezogen und haben Süßigkeiten und Getränkedosen mitgehen lassen. Natürlich wussten die Ladenbesitzer, was wir im Schilde führten. Aber sie haben uns nie erwischt. Wir hatten unser System. Du hast dafür gesorgt, dass jeder wusste, was er zu tun hatte. Wie bei der Mafia oder bei den chinesischen Triaden, meintest du. Das hattest du vermutlich aus den Filmen, die du dir immer angeschaut hast. Damals standest du total auf alte Kung-Fu-Filme, glaub ich. Acht Jahre waren wir damals alt und schon richtige Kleinkriminelle!

Aber damit war am Ende der vierten Klasse plötzlich Schluss. In der Schule waren irgendwelche Schulamt-Inspektoren gewesen, und ich vermute, die waren nicht allzu beeindruckt vom dem, was sie dort sahen. Es gab eine Ansprache während der Morgenandacht, und wir kriegten Briefe nach Hause, in denen von der Bedeutung eines regelmäßigen Schulbesuchs, von Lerneifer und der Mitarbeit der Eltern die Rede war.

Ich glaube nicht, dass besonders viele dieser Briefe gelesen wurden oder dass wir während der Ansprache richtig zugehört haben. Ich glaube, wir dachten alle, es würde anschließend im Großen und Ganzen so weitergehen wie vorher. Aber da lagen wir falsch. Im September, zu Beginn der Fünften, kriegten wir eine neue Schulleiterin: Mrs Wallace. Für dich war sie »der Drachen«.

Selbst du hast insgeheim ein bisschen Angst vor ihr gehabt. Innerhalb weniger Wochen ließ sie alle unsere Tische gegen Einzelpulte austauschen, die in Reihen aufgestellt wurden. Sie schleppte kistenweise blaue Sweatshirts mit dem Namen der Schule drauf an, die wir dann alle tragen mussten. Wer es sich nicht leisten konnte oder behauptete, er könne es nicht, bekam es kostenlos. Wenn wir nicht zur Schule kamen, stand sie bei uns auf der Matte oder sie fuhr in die Stadt und trieb uns zusammen.

Das wurde uns allen nach einer Weile zu blöd, also kamen wir schließlich freiwillig. Obwohl ich mir immer noch nicht erklären kann, warum sie so besonderen Wert auf unsere Anwesenheit legte.

Vor allem bei dir. Ohne dich wäre es um einiges ruhiger an der Schule gewesen. Es gibt Leute, die behaupten, der Drachen hätte Wunder bewirkt. Bei der nächsten Inspektion gab es jedenfalls keine Beanstandungen mehr, und ich hab gehört, dass sie es inzwischen sogar fast bis zu einem Mittelplatz auf irgend so einer Schul-Rangliste geschafft haben. Demnach haben sich die Jüngeren, also die ganzen Kleinen nach uns, an sie gewöhnt. Was man von uns nicht sagen konnte.

Wir haben sie allesamt gehasst. Du am allermeisten. Wir hassten die Art, mit der sie durch die Klassenzimmer patrouillierte, um sicherzugehen, dass wir alle brav arbeiteten oder zumindest ordentlich auf unseren Plätzen saßen. Sie hatte so eine Art zu schreien, die eigentlich gar kein Schreien war. Mehr ein lautes Flüstern! Aber damit konnte sie Angst und Schrecken verbreiten. Die meisten Lehrer konnten blau anlaufen vor Wut und wir lachten bloß. Aber über den Drachen lachte keiner.

Noch schlimmer als das Flüsterschreien waren ihre Versuche, nett und fröhlich zu sein. Jede Morgenandacht wurde jetzt wie eine bescheuerte Oscar-Verleihung aufgezogen. Gute Arbeiten wurden hochgehalten und vorgelesen, während der Drachen uns von oben herab anstrahlte und zum Applaus aufforderte. Es gab Auszeichnungen für gutes Benehmen. Klassenprämien. Einzelprämien. Den Pokal für »gutes Nebeneinandersitzen« oder die »Anwesenheitsmedaille«.

Ein paar von den Jüngeren waren Feuer und Flamme, weißt du noch? Ganz wild darauf, dass ihre Namen vorgelesen wurden. Gierig auf den Schokoriegel, den man zu den Auszeichnungen dazubekam. Aber wir nicht. Wir wussten, was sie im Schilde führte.

Du hast dann einen kleinen Club gegründet, den so genannten F.A.-Club. Das A stand für Auszeichnungen und das F für ein weniger anständiges Wort mit vier Buchstaben und »ck« am Ende. Alle konnten beitreten, vorausgesetzt sie hatten nicht eine Einzige der bescheuerten Auszeichnungen des Drachens erhalten. Sobald man eine bekam, flog man raus.

Und was das anging, hast du dich ziemlich sicher gefühlt. Du warst zwar schlau im Vergleich zu den meisten anderen dort, aber ich glaube, du hast nie irgendwas zu Ende gebracht, und eine Auszeichnung für »gutes Betragen« war natürlich sowieso völlig indiskutabel.

Aber jeder von uns hat seine kleinen Schwächen und bei dir war es der Fußball. Was für ein Schock, als der Drachen plötzlich eine Auszeichnung für »besondere sportliche Leistungen« einführte. Was solltest du tun mitten in der Spielsaison, wo deine sechs Tore gegen die Parkside ohnehin schon Schulgespräch waren?

Du hast das Einzige getan, was dir übrig blieb, abgesehen davon, deinen geliebten Fußball ganz aufzugeben. Du hast das Training geschwänzt, Blödsinn gemacht, wenn du da warst, und dir in Spielen absichtlich Torchancen entgehen lassen.

Aber nur, wenn du wusstest, dass nichts passieren konnte. Wenn deine Mannschaft schon drei zu null in Führung lag. Du hättest nie das ganze Spiel riskiert, oder? Du konntest einfach nicht verlieren. Und das wurde dir schließlich zum Verhängnis. Das entscheidende Pokalspiel kurz vor den Osterferien.

Es ging gegen die schnöseligen Typen von der Eastmore-Schule, die total scharf darauf waren, den Pokal zum dritten Mal in Folge zu gewinnen. Zwei Minuten vor dem Abpfiff steht es eins zu eins. Du schreist

Vince Matthews zu, er soll abgeben, und er kapiert ausnahmsweise sofort. Du passierst einen Verteidiger, dann noch einen, dann den dritten. Inzwischen wird der Torhüter nervös und läuft aus seinem Kasten. Du kannst gar nicht anders. So einen Schuss könnte nicht mal Vince vermasseln. Und bei dir bekam einfach dein Jagdinstinkt die Oberhand. Du hast gar nicht lange überlegt, oder? Du hast das Ding einfach reingehämmert und alle spielten verrückt.

Ich meine, wirklich alle. Schulfußball ist ja nicht gerade ein Publikumsmagnet und wir füllten kein großes Stadion. Aber der Drachen knipste wie verrückt – ein Foto nach dem anderen.

Junge, Junge, hat sie das Ganze dann aufgeblasen. Am Montag hingen schon Abzüge am schwarzen Brett samt Kommentaren, die wie Zeitungsartikel aufgemacht waren. Und der Pokal hatte einen Ehrenplatz in der neuen Vitrine, die sie in der Eingangshalle aufgestellt hatte.

In dieser Woche hast du dich ganz schön ranhalten müssen. Hast alles getan, um Ärger zu kriegen. Lehrer beschimpft, ein paar Kleine auf dem Spielplatz mit Fußtritten traktiert und einer der Cafeteriafrauen einen Teller Spagetti ins Gesicht gekippt.

In unserem kleinen Club wusste jeder, worum es dir ging. Du wolltest dich derart danebenbenehmen, dass keiner, der auch nur halbwegs bei Sinnen war, auf die Idee kommen könnte, dir am Freitag irgendeine Auszeichnung zu verleihen.

Nur war der Drachen offenbar tatsächlich nicht bei Sinnen. Jedenfalls dachten wir das damals. Inzwischen kann ich verstehen, warum sie es getan hat. Sie dachte, sie baut dein Selbstvertrauen auf, indem sie deine Stärken lobt, statt deine Schwächen zu tadeln. Sie wollte dich ermutigen!

Einigen klappte die Kinnlade nach unten, als sie die Auszeichnung für »besondere sportliche Leistungen« verkündete.

»Ich weiß, dass Alex nicht gerade oft ausgezeichnet wird«, sagte sie und erntete brüllendes Gelächter. »Aber bei dieser Auszeichnung geht es nicht um gute schriftliche oder künstlerische Leistungen. Sie hat nicht einmal etwas mit gutem Benehmen zu tun. Hier geht es um sportliche Erfolge. Und keiner hat mehr als Alex dazu beigetragen, die sportlichen Leistungen dieser Schule zu befördern. Wir waren Tabellenzweite und sind, soweit ich weiß, jetzt zum ersten Mal in der Geschichte der Schule Pokalsieger geworden. Applaus für Alex!«

Hundeelend, sagt man doch, oder? So sahst du jedenfalls aus, als du hochgekrochen bist. Mit gesenktem Kopf aus Angst vor den Blicken deiner Club-Kameraden. Nur dass es von nun an gar keine Club-Kameraden mehr waren. Denn du warst raus. Raus aus deinem eigenen Club.

Auf halbem Weg durch die Aula ging aber plötzlich eine Veränderung mit dir vor. Du hast den Kopf gehoben, mit der Rechten in die Luft geboxt und ihr dann die Urkunde und den Schokoriegel geradezu aus den Händen gerissen. Hast dich umgedreht. Beides hochgehalten und dabei vor Stolz gestrahlt.

Auch der Drachen war stolz. Stolz auf dich. Stolz auf sich. Sie dachte ja, sie hätte gewonnen ...

Sie konnte schließlich nicht wissen, dass du die Urkunde auf dem Heimweg in winzig kleine Stückchen zerrissen hast. Die Schokolade hast du allerdings aufgegessen. Wäre ja Verschwendung sonst, meintest du. Und du hast noch etwas gesagt. Du hast gesagt, dass sich die Regeln für den Club geändert hätten. Es sei in Ordnung, wenn man eine Auszeichnung bekäme, solange man danach etwas tat. Wenn man innerhalb einer Woche dem Drachen eins auswischte, dann durfte man im Club bleiben.

Das war eine tolle Regel. Sorgte den Rest der Fünften und die gesamte Sechste über für Unterhaltung. Alle versuchten, es dir gleichzutun. Erst eine Auszeichnung zu bekommen und dann innerhalb einer Woche dem Drachen ganz übel mitzuspielen. Die meisten kriegten aber den zweiten Teil nicht hin, und deswegen hatte der Club letztendlich so wenige Mitglieder, dass es sich gar nicht mehr lohnte.

Aber du hast es geschafft, drinzubleiben. Vier von diesen dämlichen Sporturkunden hast du, glaube ich, bekommen, und viermal ist es dir anschließend gelungen, dem Drachen so richtig eins reinzuwürgen. Aber das erste Mal war das Beste.

Alle beobachteten dich in dieser Woche danach und

fragten sich, was du wohl tun würdest. Sie hatten nicht kapiert, dass der Drachen es eigentlich ganz einfach gemacht hatte.

Eines ihrer großen Ziele war es, uns Kinder mehr am Schulleben zu beteiligen. Deswegen hatte sie sich jede Menge blödsinniger kleiner Aufgaben für uns ausgedacht. Es war genau wie mit den Auszeichnungen. Es gab Dienstpläne und Ordner für alles und jedes. Milch-Dienst, Klassenlisten-Dienst, Müll-Dienst, Buch-Dienst.

Sklaverei hast du das genannt, und natürlich hast du dich nicht freiwillig als Ordner gemeldet oder zugelassen, dass sich ein anderes Clubmitglied freiwillig meldete. Aber mit den Diensten war das eine andere Sache. Die waren nämlich nicht freiwillig. Jeder wurde in die eine oder andere Liste eingetragen. Wer bestimmte Vorlieben hatte, konnte seinen Dienst entsprechend auswählen, aber Clubmitglieder hatten natürlich auf gar nichts Lust, also wurden unsere Namen einfach auf irgendwelche Listen gesetzt, wo immer gerade noch Platz war.

Dein Name stand auf der Liste des »Gästebetreuungs-Dienstes«. Das bedeutete in erster Linie, dass man immer dann, wenn Eltern, Schulräte oder irgendwelche anderen superwichtigen Besucher in die Schule kamen, mit einem der Lehrer oder Assistenten ins Lehrerzimmer gehen musste, um dort Kaffee und kleine Kuchen oder so was vorzubereiten.

Und wie es das Schicksal wollte, hatte sich für den Mittwoch nach deiner grauenvollen Auszeichnung der

Bürgermeister angekündigt. Er wollte sich ein wenig umschauen und mit dem Drachen sprechen.

Sie hatte uns bereits erzählt, wie wichtig dieses Gespräch war, da sie irgendwie noch an Gelder für die Schule kommen wollte. Wir mussten also dringend einen guten Eindruck machen. Hey, und wie!

Eigentlich hätten sie ahnen müssen, dass da was im Busch war, als du darauf gedrängt hast, deinen Dienst mit Amrit zu tauschen, um dann mit Mrs Curtis und dem Depp David Davenport ins Lehrerzimmer abzuziehen.

Du hattest immer verdammtes Glück. Jeder andere wäre bei Mrs Bell gelandet, die Augen hatte wie ein Adler und genauso gnadenlos war. Aber du kamst natürlich zu Mrs Curtis, die einfach gar nichts schnallte.

Noch dazu musste Mrs Curtis ja auch mit dem Depp David fertig werden, dem man nicht einmal eine Tasse in die Hand geben konnte, ohne dass er sie fallen ließ.

Dein Plan war absolut ausgeklügelt, wie du den anderen später erzählt hast. Du hattest ein paar ganz besondere Zutaten für die netten kleinen Kuchen mitgebracht. Es wurde dann allerdings kurz problematisch, als Depp David das Mehl fallen ließ. Es war die allerletzte Packung, und Mrs Curtis war nicht so scharf darauf, das Zeug vom Lehrerzimmerteppich aufzukratzen.

Sie rannte also völlig panisch herum und konnte sich nicht entscheiden, ob man dem Bürgermeister wohl altbackene Kekse anbieten könnte oder ob sie noch Zeit hätte, schnell etwas einzukaufen.

Währenddessen hast du einen Blick in den Kühlschrank geworfen. Gekaufte Kekse passten überhaupt nicht in deinen Plan.

»Es gibt noch Brot und Käse«, sagtest du. »Wir könnten getoastete Sandwiches machen. Das wäre ganz einfach.«

»Gute Idee, Alex«, meinte Mrs Curtis. »Wir können sie in hübsche kleine Dreiecke schneiden. Komm, David, hilfst du mir Kaffee kochen, während Alex den Käse schneidet?«

Du hast dir Zeit gelassen, weil es erst um halb elf fertig sein musste. Hast alle Zutaten bereitgestellt. Na ja, vielleicht nicht ganz alle ...

»Darf ich die Sandwiches machen? Ich hab so eine Maschine schon mal benutzt«, hast du gefragt.

Ob das wirklich stimmte, war ganz egal. Die Dinger sind ja total einfach zu bedienen. Selbst du konntest das alleine rausfinden. Deckel hoch. Brotscheibe rein. Käse und Geheimzutaten drauf. Noch eine Scheibe Brot obendrauf. Deckel zu. Anschalten. Warten, bis das Licht ausgeht und der Piepton erklingt. Wiederholung bei Sandwich Nummer 2. Währenddessen Sandwich Nummer 1 in ordentliche kleine Dreiecke schneiden, wie Mrs Curtis es vorgeschlagen hat. Auf einem Teller anrichten. Wiederholung bei Sandwich Nummer 2.

Für dich gab es eigentlich nur ein Problem, und zwar dass du und Depp David wieder in den Unterricht zurückmusstet, sobald ihr Kaffee und Sandwiches in der Höhle des Drachens abgeliefert hattet. Ihr durftet nicht dableiben. Und deswegen hast du auch nie erfahren, wie sie reagiert hat.

»Ehrlich?«, kreischten die Mitglieder unseres Clubs, die sich in der Pause um dich scharten, um deine Geschichte anzuhören. »Du hast ganz echt Würmer in die Sandwiches getan? Richtige lebendige Würmer?«

Das hattest du. Der Drachen selbst bestätigte es, und seltsamerweise schien sie sich mehr Sorgen um die Würmer zu machen als um die Tatsache, dass der Bürgermeister auf ihren Büroteppich gekotzt hatte.

Etwa so wie bei dem Igel, vermute ich. Den Würmern hat es bestimmt ebenso wenig gefallen, getoastet zu werden, wie dem Igel, verbrannt zu werden. Aber das spielte für dich keine Rolle. Für den Rest der Klasse allerdings schon, nachdem man ihnen alles genau erklärt hatte. Ihnen verging das Lachen, nachdem der Drachen ihnen klar gemacht hatte, dass es gefährlich und grausam war, so etwas zu tun. Gefährlich für die Leute und grausam zu den Würmern.

Aber du hattest es wohl immer noch nicht kapiert. Dir war einfach nicht klar, wie sich diese Würmer gefühlt haben.

Mir schon. Ich weiß, wie sich die Würmer gefühlt haben, und ich weiß, wie sich der Drachen und der Bürgermeister gefühlt haben müssen, als ihnen klar wurde, was sie im Mund, im Hals und im Magen hatten.

Schon allein der Gedanke daran verdirbt mir den Appetit auf mein Salatsandwich.

Ich muss jetzt sowieso gehen. Der Kellner hat mich

schon wieder so angestarrt. Oder starrt er etwa dich an? Kann er dich auch hier sitzen sehen?

Wahrscheinlich nicht. Konnte bei dem Festmahl sonst noch jemand Banquo sehen? Keineswegs. Weil auch bei Macbeth die Geister aus seinem Inneren kamen. Aber das macht sie nicht weniger real, oder?

Jetzt siehst du glücklich aus. Du hast es wieder mal geschafft, dass ich mich ganz auf dich konzentriere, anstatt mit meinem eigenen Leben voranzukommen. Und was nun? Springst du wieder zurück in die Kiste mit der Aufschrift »Vergangenheit«, wo du hingehörst? Oder folgst du mir zum College? Ich will nicht zu spät kommen. Heute Nachmittag kommt einer vom Tierschutzverein, um uns zu zeigen, wie man mit exotischen Tierarten umgeht.

Ich studiere jetzt Tierpflege am College, Alex.

Was sagst du dazu, he?

Kapitel 3

College ist voll gut. Man muss da gar nicht die ganze Zeit schreiben oder lesen, obwohl ich das inzwischen auch ganz gut finde. Wir haben oft praktische Übungen wie heute zum Beispiel. Damit wir uns an den Umgang mit verschiedenen Tieren gewöhnen. Dieser Typ vom Tierschutzverein hat eine Pythonschlange, eine Echse, zwei Ratten, einen Bussard und eine Tarantel mitgebracht. Lauter Tiere, vor denen die Leute normalerweise Angst haben.

Die Schlange hat den anderen am meisten zu schaffen gemacht. Ich fand es fast abstoßend, wie Graham einen Schweißausbruch bekam, kaum wurde die Python aus ihrem Korb gehoben. Weichei, oder was? Immerhin hat er es fertig gebracht, mutig zu tun und die Schlange zu streicheln und am Ende sogar hochzuheben.

Ich selbst hatte kein Problem mit der Schlange. Auch sonst mit nichts. Und wenn ich etwas blass geworden bin, als die Tarantel meinen Arm hochkrabbelte, dann hatte das andere Gründe, als die Leute dachten. Ich hab keine Angst vor Spinnen. Noch nie gehabt. Es war nur: Die Tarantel erinnerte mich an·dich ... in mehr als einer Hinsicht.

Daran, wie du Fliegen, Motten, Käfer, Schmetterlinge gefangen und in ein Spinnennetz gesetzt hast, um dann zu beobachten, wie sie sich abstrampelten, bis die Spinne schließlich angesaust kam.

Schon seltsam, was die Leute für Unterschiede zwischen den einzelnen Tieren machen, oder? Wenn du Fliegen oder Käfer an die Spinnen verfüttert hast, dann haben sie gelacht. Bei Schmetterlingen jammerten sie herum und fanden dein Verhalten gestört, vor allem wenn es einer von den wirklich schönen war. Ein Admiral zum Beispiel oder einer von denen mit den orangenen Flügelspitzen.

Beim Essen ist es genauso. Die Engländer essen gerne Lammbraten oder Rinderhack, aber wehe, du schlägst einen Hunde-Eintopf oder ein schönes Stück gegrilltes Pferdefleisch vor, schon regen sie sich tierisch auf.

Das gehörte zu den Dingen, die ich ganz schön verwirrend fand, als ich erst einmal angefangen hatte, darüber nachzudenken. Das Thema tauchte in einer meiner Therapiesitzungen auf. Recht und Unrecht bei der Tötung von Lebewesen. Und ich hab es damals nicht wirklich kapiert. Eigentlich bis heute nicht. Darum mach ich mir auch gar nichts mehr aus Fleisch, egal welche Sorte. Ich habe schon genug Sorgen, auch ohne dass ich mir noch ständig Gedanken darüber machen muss, was ich mir in den Mund stecke. Zum Beispiel meine Fixierung auf dich. Warum kann ich dich nicht einfach abschütteln, Alex? Warum kann ich nicht vergessen? Warum kann ich nicht einfach loslassen?

»Ooooh, nehmt sie weg von mir! Tut sie weg!«

Huch! Die süße Sarah flippt wegen der Tarantel aus. Sie konnte sich auch vorher weder für die Echse noch für die Schlange begeistern. Da fragt man sich schon, was sie überhaupt in einem Tierpflege-Kurs zu suchen hat. Graham fragt sich das offenbar auch. Jedenfalls grinst er mich an und ich muss einfach zurücklächeln.

Sarah zieht eine richtige Show ab. Sie beugt sich ganz langsam vor, streckt die Hand aus, um die Spinne zu berühren – und springt dann kreischend zurück. Faszination und Schrecken zugleich.

Und das ist der zweite Grund, warum mich die Tarantel an dich erinnert. Denn es ist genau diese Wirkung, die du auf andere hattest: Faszination und Schrecken. Niemand konnte jemals wissen, was du als Nächstes tun würdest. Also blieben sie immer in der Nähe, um ja nichts zu verpassen, und wurden prompt mit hineingezogen, ob sie es nun wollten oder nicht.

Wie damals – du warst neun –, als du den kleinen Liam Bradbury an das Karussell in der Grünanlage gebunden hast. Dann hast du gedreht, schneller und immer schneller, bis er anfing zu weinen und schließlich völlig außer sich geschrien hat. Und keiner war sich wirklich sicher, ob das noch ein Spiel war oder nicht, du am allerwenigsten. Als du dann zu den anderen gesagt hast, sie sollten weitermachen und drehen, haben sie es getan.

Und sie wagten nicht, es anzuhalten, selbst als Liam anfing zu kotzen und matschige Cornflakes und geronnene braune Milch überall herumspritzten ... denn du standest währenddessen lachend auf einer der Schaukeln und hast wie ein besoffener Oberfeldwebel herumgebrüllt, sie sollten schneller drehen ... bis deine Mutter rauskam.

Unsere Siedlung, unsere Straße galt allgemein als »hartes Pflaster«, obwohl es tatsächlich noch viel üblere Gegenden gab. Es waren Sozialwohnungen in kleinen Doppelhäusern, die in den 50er-Jahren gebaut worden waren. Die alte Oma Newson, die in Nummer 14 lebte und ungefähr eine Million Jahre alt war, nuschelte immer durch ihr schlecht sitzendes Gebiss:

»Damals war es noch schön hier. Wir konnten nachts ausgehen, ohne Angst zu haben, dass wir überfallen werden, und keiner hat sich die Mühe gemacht, die Haustür abzuschließen.«

Laut Oma Newson hatten die Leute damals sogar hübsche Gärten anstelle von Müllhalden voller ausgeschlachteter Autos, kaputter Kühlschränke und rostiger Fahrräder. Die Grünanlage in der Mitte war nicht mit Hundedreck übersät, und die Kinder spielten auf Schaukeln, die noch ganz waren, auf einem Karussell, das noch nicht von oben bis unten mit obszönen Graffitis beschmiert war, und man musste keine Angst haben, dass sie Spritzen und benutzte Kondome unter der Rutsche aufsammelten.

Aber Oma Newson war ja auch eine durchgedrehte alte Kuh, was du ihr gerne ins Gesicht zu sagen pflegtest.

Sie klebte an jenem Tag, als du Liam Bradbury ans Karussell gebunden hattest und deine Mutter herauskam, jedenfalls mit ihrem Zinken am Fenster. Wahrscheinlich war sie es überhaupt gewesen, die deine Mutter angerufen hatte. Denn es war erst ungefähr elf an einem Samstagmorgen, und es war offensichtlich, dass deine Mutter noch im Bett gelegen hatte. Sie erschien nämlich in ihrem schwarzen Nachthemd und in Hausschuhen, und alle Typen drehten sich nach ihr um und pfiffen, als ihr das Nachthemd über die Knie hochgeweht wurde.

Aber sie schenkte ihnen keine Beachtung. »Alex!«, schrie sie. »Verdammte Scheiße, was tust du da?«

Wenn ich so drüber nachdenke, hat sie vermutlich noch ganz andere Ausdrücke verwendet. Das war so ihre Art.

Du bist von der Schaukel runtergesprungen, und das war auch das Stichwort für diejenigen, die noch immer brav drehten, das Karussell anzuhalten. Irgendjemand, ich glaube, es war Tracey, band den kleinen Liam los, der vom Karussell krabbelte, einige Sekunden schwankend wie ein verwirrtes Rehkitz stehen blieb und dann platt aufs Gesicht fiel.

Deine Mutter hatte bereits den Arm ausgestreckt, um dir rechts und links eine runterzuhauen, doch plötzlich kreischte sie los, warf den Kopf mit der blonden Zottelmähne nach hinten und brach in ein derart schallendes Gelächter aus, dass wir alle davon angesteckt wurden.

»Ach, Alex«, sagte sie, zog dich an sich und hielt dich

in einer geradezu wahnsinnigen Umarmung gefangen, wobei ihr ganzer nicht gerade schlanker Körper wabbelte und schwabbelte. »Du bist wirklich ein kleiner Idiot. Schau dir nur an, was du gemacht hast!«

Sie ließ dich los und half dem voll gekotzten Liam auf die Füße.

»Alles in Ordnung«, sagte sie zu ihm. »Hör auf zu heulen. Dir fehlt nichts. Dir ist nur ein bisschen schwindlig, das ist alles. Geh schon. Geh spielen.«

Und der arme Liam marschierte benommen und verdattert in Richtung Schaukel, während alle anderen immer noch kreischten und johlten vor Lachen.

Du bist dann mit deiner Mutter zu eurem Haus zurückgegangen, während Oma Newson hinter ihrem Fenster zusah und garantiert missbilligend den Kopf schüttelte. Jedenfalls hast du ihr im Vorübergehen beide Stinkefinger gezeigt.

Dir war es egal, was andere über deine Mutter redeten, und glaub mir, sie redeten viel! Du wusstest, dass sie in Ordnung war. Alle Kinder in der Straße mochten deine Mutter. Sie war eigentlich selbst noch wie ein großes Kind: kam raus und schmiss mit Süßigkeiten um sich oder saß auf der Gartenmauer, hörte laute Musik und bot allen was aus ihrer Tüte mit blassen, fettigen Pommes an.

Es gab auch jede Menge Männer, die sie mochten, aber nicht wegen ihrer Süßigkeiten oder Pommes. Als ihr an jenem Tag bei eurem Haus ankamt, erschien ein halb nackter Typ in der offenen Tür. Ich weiß nicht mehr, wer es war. Nicht dein Vater jedenfalls, das war klar.

»Ich hatte mal einen Vater«, hast du immer stolz verkündet, als du noch klein warst. »Er war ein Arschloch.«

Und als du älter wurdest, hast du noch ein bisschen mehr verraten. Seinen Namen zum Beispiel … Alexander … und dass er am Tag vor deinem dritten Geburtstag verschwunden ist … genau eine Stunde, bevor die Bullen auftauchten, um mit ihm über Drogenhandel und einen Typen zu reden, der vor einer Kneipe niedergestochen worden war.

Du hast ihn nie wieder gesehen und konntest dich nur vage an ihn erinnern, aber immerhin hat er dir ein paar bleibende Andenken hinterlassen, stimmt's? Zum Beispiel die winzigen Narben auf deinem Rücken, wo dich die Zigaretten verbrannt hatten, und die Striemen auf deinen Oberschenkeln, wo die Gürtelschnalle hineingeschnitten hatte.

»Schaut mal, wie das Kind aussieht!«, hatte einer der Bullen gesagt und dich hochgehoben, während du schreiend versucht hast, dich an deiner Mutter festzuklammern.

Du kamst für ein paar Monate ins Heim, aber dann durftest du nach Hause zurück, weil klar war, dass dein Vater nie mehr wiederkommen würde. Denn es war Daddy gewesen, der dir wehgetan hatte. Nicht Mummy. Und als Daddy dann fort war, hat Mummy versprochen, mit der Sauferei aufzuhören und besser auf dich aufzupassen.

An dem Tag mit der Karussell-Geschichte sah der Typ, der nicht dein Vater war, jedenfalls ziemlich genervt und ungeduldig aus. Er hat deiner Mutter etwas zugezischt, sie ins Haus geschubst und dir die Tür vor der Nase zugeknallt.

Du hast dir nichts anmerken lassen. Und vielleicht war es dir auch wirklich egal. Vielleicht warst du an so was gewöhnt. Du bist einfach über die Wiese zurückgehüpft, hast mit lauter Stimme ein paar Anweisungen gegeben und dafür gesorgt, dass sich alle in zwei Mannschaften zum Fußballspielen aufteilten.

Du hast immer alles bestimmt und organisiert. Das kam auch bei deiner Verhandlung zur Sprache. Das und noch jede Menge anderes Zeug von wegen deiner »Erziehung« oder besser deiner »fehlenden Erziehung«. Unterprivilegiert. Emotional gestört. Psychotisch. Ein ganzes Wörterbuch voller Begriffe, die vermutlich auf zahllose Kinder zugetroffen hätten. Die haben aber trotzdem nicht alle das getan, was du getan hast.

Es hat also nicht viel zu deiner Verteidigung beigetragen, und es war nicht zu erwarten, dass die Geschworenen auf die »Ich armes kleines Opfer«-Nummer reinfallen würden. Jedenfalls nicht solange die Familien der echten Opfer nach Rache schrien.

»Sie hat mich gebissen! Sie hat mich gebissen. Ich blute!«

Sarah hüpft durch den Raum, schüttelt die Hand, saugt an ihrem Finger und untersucht eine angeblich klaffende Wunde, die außer ihr keiner sehen kann. Und die weiße Ratte ist wieder in ihrem Käfig, drückt sich in die Ecke und wirkt noch traumatisierter als Sarah. Bestimmt fragt sie sich, was sie falsch gemacht hat. Darf man denn nicht zubeißen, wenn man so festgehalten und fast zu Tode gequetscht wird?

Die Antwort ist natürlich Nein. Gewalt und Gegengewalt sind immer falsch. Nicht dass wir das als Kinder schon gewusst hätten. Das hab ich erst später gelernt. Aber ich glaube kaum, dass diese arme Ratte je in den Genuss eines psychologischen Beratungsgesprächs gekommen ist ...

»Sie müssen behutsamer mit den Tieren umgehen«, erklärt der Mann vom Tierschutzverein Sarah. »Versuchen Sie, nicht panisch zu werden. Passen Sie mal auf.«

Er holt die andere Ratte, die silbergraue, aus dem Käfig und reicht sie mir.

»Sehen Sie, wie Josie das macht«, sagt er, und mir wird ganz heiß, als alle sich umdrehen, um mir zuzuschauen.

Das will ich ja überhaupt nicht. Wie soll ich denn unauffällig bleiben, wenn die Lehrer anfangen, mich herauszustellen? Aber das weiche Fell fühlt sich warm und tröstlich auf meiner Hand an und ich muss die Ratte einfach streicheln. Ich lasse sie an mir hinaufklettern und sie bleibt ganz entspannt und vertrauensvoll auf meiner Brust sitzen. Das kleine schwarze Näschen zuckt.

»Sehen Sie, die Tiere tun gar nichts, wenn man richtig mit ihnen umgeht«, sagt der Mann zu Sarah.

Und während Sarah mich irgendwie eifersüchtig an-
starrt, komme ich mir fast wie ein Betrüger vor. Denn es
ist schließlich nicht so, dass ich das alles von Natur aus
könnte. Es gehört zu den Dingen, die ich während der
Psychotherapie gelernt habe. Im Tiertherapie-Zentrum,
wo wir mit süßen Häschen und Hamstern und Wüsten-
springmäusen spielen durften. Natürlich nur unter
strengster Aufsicht. Tolle Sache, echt. Weil, am Anfang
war ich auch total grob und ungeschickt. Schlimmer als
Sarah.

Aber Tiertherapie ist wirklich gut. Die wird überall
eingesetzt. In Krankenhäusern, in Altenheimen, mit be-
hinderten Kindern oder bei Leuten mit irgendeinem
Trauma. Ich glaube nicht, dass sie oft in Gefängnissen
eingesetzt wird, aber das sollte man tun. Der Innenmi-
nister sollte das irgendwo in seine Reformen aufnehmen. Tiere wären gut für Kriminelle.

Du kannst einem Tier Sachen erzählen, die du einem
anderen Menschen nie im Leben sagen würdest. Weil
Kaninchen nicht so schnell schockiert sind. Solange du
sie fütterst und streichelst, lieben sie dich, selbst wenn
du ihnen deine Geheimnisse verrätst.

Und meine silbergraue Ratte würde immer noch an
meinem Hals schnüffeln, auch wenn ich ihr ins Ohr flüs-
terte: »Vor sieben Jahren, Ratti, als wir erst elf waren,
weißt du, was da passiert ist? Was Alex getan hat ...«

Aber das werde ich nicht tun. Weil mein Flüstern im
ganzen Raum zu hören wäre. Sarah und Graham und
der Tierschutzvereinmann und die anderen würden in-

nehalten und sich die Geschichte anhören. Und sich fragen, was das alles mit mir zu tun hat. Und wenn ihnen das klar würde, wären sie nicht so verständnisvoll und vergebend wie du, Ratti. Oh nein.

Ich will Ratti eigentlich gar nicht mehr hergeben, aber die Stunde geht dem Ende zu, und Sarah wird es noch einmal versuchen, ganz allein, wenn wir anderen fort sind.

»Du warst genial, Josie. Vor allem mit dieser Schlange.«

Noch bevor ich mich umdrehe, erkenne ich Grahams Stimme.

»Schlangen sind nicht so mein Fall«, fügt er überflüssigerweise hinzu.

»Bei dir ging's doch eigentlich ganz gut«, sage ich, »jedenfalls besser als bei Sarah.«

»Ja. Sie wird's wohl nicht ganz einfach haben. Hör mal, ich wollte, ich meine, ich wollte dich fragen ...«, sagt er total schüchtern und höflich. »Hättest du vielleicht Lust, irgendwann was trinken zu gehen?«

»Ja«, sage ich, obwohl ich eigentlich Nein meine.

»Heute Abend?«, fragt er.

Ausrede, Josie. Denk dir eine Ausrede aus.

Aber mein Kopf hat schon genickt.

»Um acht hier im Studentencafé?«

»Nicht hier.«

Super, jetzt hab ich es wenigstens mal geschafft, etwas zu sagen, was ich auch wirklich meine. Aber er sieht verwirrt aus.

»Ich mag das Café irgendwie nicht so«, versuche ich zu erklären.

»Ich auch nicht! Wie wär's dann mit der neuen Weinbar in der Stadt? Ist acht Uhr in Ordnung? Nicht zu früh?«

Ich nicke und schüttele den Kopf.

»Super«, sagt er. »Dann bis später.«

Und er marschiert davon und sieht dabei richtig zufrieden mit sich aus, und ich kann mich des Gedankens nicht erwehren, ob er ebenso zufrieden wäre, wenn er es wüsste.

Kapitel 4

Die Busfahrt dauert zehn Minuten, dann kommen eine dreißigminütige Zugfahrt und noch ein fünfminütiger Fußmarsch nach Hause. Nah genug beim College, dass ich jeden Tag hin- und herfahren kann, aber weit genug, dass mein Zuhause, so wie es ist, meine Privatsphäre bleibt.

Manchmal lese ich auf der Fahrt, aber heute vertreibe ich mir die Zeit damit, zu zählen, wie viele Häuser schon Christbäume aufgestellt und Weihnachtsdeko aufgehängt haben. Die Läden sind schon seit August voll davon, so kommt es mir zumindest vor, aber von den Häusern sind noch nicht so viele geschmückt.

Auch unseres noch nicht. Nur das ganz normale Licht, das Tag und Nacht über dem Eingang brennt. Ich sage »unser Haus«, aber das stimmt nicht wirklich. Ich hab dort nur ein Zimmer gemietet. Aber zumindest ist es nicht eines von diesen heruntergekommenen Studentenwohnheimen oder so. Es ist ein zweistöckiges Reihenhaus aus dem 19. Jahrhundert in einer langen, baumbestandenen Straße. Total vornehm, echt.

Die Nachbarn wissen nur so viel, dass Frank und Moira, denen das Haus gehört, an Studenten vermieten. Das ist nichts Ungewöhnliches, denn in der Nähe gibt es eine Reihe von Colleges, und viele Leute vermieten Zimmer an Studenten, um sich etwas dazuzuverdienen.

Allerdings sind Franks und Moiras Studenten ein bisschen anders als die von anderen. Franks und Moiras Studenten sind besonders. Junge Leute, die zu alt sind für Pflegefamilien, aber aus den unterschiedlichsten Gründen noch etwas Hilfe brauchen. Die man noch nicht »mit Sicherheit« alleine lassen kann.

Die beiden haben vier Zimmer zu vermieten, von denen im Moment aber nur zwei belegt sind. Von mir und Lara. Lara hat Downsyndrom und kommt eigentlich ganz gut alleine zurecht, braucht aber viel Unterstützung mit dem College.

Lara ist total anhänglich und liebebedürftig. Immer wenn sie mich sieht, umarmt sie mich. Das hat mich am Anfang extrem genervt, aber jetzt mag ich es irgendwie. Manchmal möchte sie mir auch über die Haare streichen, was sogar noch nerviger ist, aber ich lasse sie, weil ich ihr nicht wehtun möchte.

Ich glaube, ich hab sie am Anfang ein paarmal verletzt. Ich hatte einfach Angst vor ihr. Ziemlich übel, oder? Wenn man Angst vor jemandem hat, bloß weil er ein bisschen anders aussieht. Ich meine, das Aussehen hat ja schließlich nichts mit dem zu tun, was innen drin ist, oder? Wenn es nur nach dem Aussehen ginge, dann hätte man dir einen Heiligenschein verpassen können, Alex. Und Lara ist nicht gefährlich, ganz bestimmt nicht. Sie hat so eine megafröhliche, glückliche und freundliche Art. Das gibt es oft bei Menschen mit Downsyndrom, sagt Moira. Wie gut für Lara, denn eigentlich hat sie doch kaum was, worüber sie besonders glücklich sein könnte.

Moira erzählt nicht viel. Es gehört zu ihrem Job, dass sie verschwiegen ist, aber ich weiß, dass Lara in Pflegefamilien und Heimen war, seit sie zwei ist, und das kann nicht so richtig toll gewesen sein.

Jedenfalls liegt es an Laras »besonderen Bedürfnissen« und an meiner speziellen Situation, dass Moira im Moment niemanden außer uns aufnimmt.

Sie hat mir einen vegetarischen Auflauf gemacht! Ich rieche es schon an der Haustür. Dazu gibt es Erbsen und eine Scheibe Rote Beete. Ich weiß das, weil Moiras Essen sehr vorhersagbar ist. Gut, aber vorhersagbar.

An den Wochenenden koche ich selbst, was vor allem Spiegeleier und Baked Beans auf Toast bedeutet. Außerdem muss ich meine Klamotten selbst waschen und bügeln. Aber Moira ist total lieb, meistens stopft sie meine Sachen einfach mit in die Waschmaschine oder bügelt was von mir mit. Bei Lara macht sie es genauso.

Ich weiß nicht, ob das für uns der beste Ansporn auf dem Weg zur Selbstständigkeit ist, aber ich weiß es zu schätzen, weil ich normalerweise völlig fertig bin, wenn ich vom College nach Hause komme. Und außerdem scheint es ja mit Moiras eigenen Kindern auch funktioniert zu haben. Die sind alle erwachsen, haben gute Jobs und selber Familie. Ihre Fotos strahlen mich von fast jeder Wand und Abstellfläche im Haus an und machen mich neidisch. Von mir waren nie mehr als zwei kleine Fotos bei uns zu Hause aufgestellt, und ich nehme an, dass selbst die mittlerweile verschwunden sind.

»Alles klar bei dir, Josie?«, fragt Moira, als ich mich hinsetze. »Du siehst ein bisschen blass aus.«

»Nö, alles klar«, sage ich.

Lara kommt normalerweise mindestens eine Stunde vor mir nach Hause, weil ihr College ganz in der Nähe ist. Daher macht Moira für uns beide getrennt Essen.

Sie sagt, wir brauchen etwas Warmes zu essen, sobald wir nach Hause kommen, aber ich weiß, dass es in Wirklichkeit darum geht, dass sie mit jeder von uns alleine reden kann. Abchecken, ob alles in Ordnung ist. In unseren Gesichtern und Augen nach versteckten Problemen suchen.

»Und, war dein Tag okay?«

Ich nicke, und während ich den Auflauf futtere, berichte ich ihr von der Schlange, der Spinne und von der süßen Sarah. Moira lacht und sieht superstolz aus, als ich ihr erzähle, dass ich vorführen durfte, wie man mit einer Ratte umgeht. Deswegen sage ich ihr auch nichts von dem, was mich sonst noch beschäftigt. Weder von der Verabredung mit Graham noch von der blöden Zeitung, die ich ganz unten in meine Tasche geknüllt habe, und natürlich nichts von dir. Dass du mich den ganzen Tag verfolgt und an die schlechten alten Zeiten erinnert hast, als wir noch Kinder waren.

Moira hat echt Durchblick. Sie sieht viel. Aber dich kann sie nicht sehen, wie du da in Franks Sessel in der Ecke sitzt, den Kopf schief legst und mich angrinst, während ich weiter von dem Seminar am Vormittag berichte.

Du sitzt da ganz ruhig, lächelst und dein Gesichtsausdruck sagt alles.

»Es ist ganz egal, was man dir erzählt, Josie. Ich hab mich nicht wirklich verändert. Das weißt du doch, oder? Für dich bleibe ich immer gleich. Wohin du auch gehst oder wo du dich auch verstecken willst, ich werde dich immer begleiten. Du wirst dich nie von mir befreien können. Ich werde nie zulassen, dass du vergisst, was passiert ist. Was wir getan haben, Josie.«

Und ich weiß, dass du Recht hast. Plötzlich schmeckt der Auflauf nach Würmern. Ich schiebe ihn fort und versuche, den Würgreiz zu unterdrücken.

»Mir geht's gut!«, fahre ich Moira auf ihre besorgte Nachfrage hin an. »Ich bin nur müde.«

»Das Wasser ist heiß«, sagt sie. »Falls du Lust auf ein schönes Bad hast und dann früh ins Bett gehen willst.«

»Ich will nur schnell duschen«, antworte ich. »Ich wollte eigentlich noch ausgehen.«

»Irgendwas Besonderes?«, fragt sie und versucht, dabei ganz unbefangen zu klingen.

Es spricht nichts dagegen, dass ich ausgehe. Ich bin ja alt genug. Es ist erlaubt. Aber ich tue es normalerweise nicht.

»Neue Weinbar«, murmele ich und fliehe in mein Zimmer.

Später stehe ich in ein Handtuch gewickelt vor meinem Schrank, reiße Klamotten heraus und versuche, mich zu entscheiden, was ich anziehen soll, obwohl ich weiß, dass es sowieso egal ist, weil ich nicht gehen werde. Du wirst es nicht zulassen, oder, Alex?

Wie kann ich ein normales Leben führen? Wie kann ich jemals einen anderen Menschen an mich heranlassen, solange du immer in der Nähe bist? Was wäre, wenn ich ausraste? Plötzlich anfange, mit dir zu reden? Oder über dich rede? Und das könnte passieren. Ich weiß, dass es passieren könnte. Die Bilder werden immer stärker. Sie werden übermächtig, bis ich total unruhig werde und die Bilder immer noch schlimmer werden und der verdammte riesige Teufelskreis von vorne anfängt.

Ich liege auf dem Bett, werfe den Kopf aufs Kissen und beobachte, wie sich die Zahlen auf dem Digitalwecker mit vorhersagbarer Regelmäßigkeit verändern. 18:35. 18:36. 18:37. Und du sitzt die ganze Zeit dabei und machst dich über mich lustig.

Als die Anzeige 19:00 Uhr überschreitet, ist mir klar, dass es zu spät ist. Ich würde es nie pünktlich bis zur Weinbar schaffen, selbst wenn ich wollte. Um 19:17 Uhr höre ich Franks Wagen in der Einfahrt, und ich weiß, dass ich mir selbst was vorgemacht habe. Ich könnte es noch schaffen, wenn ich Frank oder Moira bitten würde, mich hinzufahren. Sie würden es tun. Ich weiß, dass sie es tun würden.

Und du weißt es auch. Deswegen springst du plötzlich auf. Du stehst auf meiner Kommode und wackelst ein bisschen hin und her, als würdest du auf einem Mauervorsprung balancieren. Dann stehst du still. Du hältst die Hände ausgestreckt, als würdest du dich an etwas festhalten ... du öffnest sie langsam, lässt langsam los.

»Lass das!«, schreie ich und stürze mich auf dich, wobei ich gegen die Kommode pralle, als du verschwindest.

Ein kurzes, scharfes Klopfen an der Tür, und noch bevor ich mich wieder aufrappeln kann, steckt Moira ihre graue Lockenmähne, in der das ursprüngliche Braun nur noch andeutungsweise zu sehen ist, zur Tür herein.

»Alles in Ordnung mit dir?«, fragt sie, während ich versuche aufzustehen und dabei mit der einen Hand mein Handtuch festhalte und mit der anderen mein gestauchtes Schienbein reibe.

»Ja. Ich bin nur gestolpert.«

Das ist mehr als glaubwürdig bei den ganzen Klamotten, den Schuhen und dem Föhn auf dem Fußboden.

»Ich wollte nur fragen, ob wir dich vielleicht in die Stadt fahren sollen?«

Die gute alte Moira. Ich weiß schon, warum sie mich zu ihr gesteckt haben. Sie hat so eine Art, mich anzulächeln, die mich glauben macht, dass sie mich wirklich mag, und so einen weichen Ton in der Stimme, bei dem ich mich richtig gut fühle.

Und es ist nicht ihre Schuld, dass das immer nur eine Sekunde anhält. Dass deine Stimme und die anderen Stimmen aus der Vergangenheit stärker sind.

»Nein. Nein danke«, sage ich. »Ich hab's mir anders überlegt und werd wohl doch früh ins Bett gehen.«

Und vielleicht habe ich das tatsächlich vor. Vielleicht, denke ich, schlafe ich ein, wenn ich mich jetzt aufs Bett werfe. Aber das tue ich nicht. Ich öffne meine Nachttischschublade und schaue mir die blaue Schachtel an. Ein kleines Geschenk, das ich mir vor ein paar Monaten selbst gemacht habe, als das College anfing und alles noch so neu und verwirrend war. Ich war mir nicht sicher, ob ich es schaffen würde. Ein Geschenk, das ich noch nie benutzt habe.

Ich schüttele die Schachtel und höre das tröstliche, leise raschelnde Klappern. Ich halte sie an mein Ohr und schüttele eine Weile, höre mir die geflüsterten Versprechungen an.

Es ist, wie wenn man einen dicken, fetten Schokoriegel isst. Das Beste daran ist, den Riegel zu betrachten, ihn ganz langsam auszupacken und die ganze Zeit zu wissen, dass der richtige Genuss noch vor einem liegt.

Nur ist es in diesem Fall kein wirklicher Genuss. Es ist Schmerz. Schmerz und Genuss zugleich.

Ich öffne die Schachtel und sehe die scharfen, glänzenden kleinen Spitzen. Es erinnert mich daran, als du allen gezeigt hast, wie man sich selbst ein Tattoo macht.

War das ein Spaß! Drüben in der hintersten Ecke des Sportplatzes hinter den Büschen, mit Nähnadeln und Lebensmittelfarbe, die du aus dem neuen Hauswirtschaftsraum geklaut hast, den der Drachen eingerichtet hatte.

Du hast bei dir selbst angefangen. Hast die gewundenen Umrisse einer Schlange in deinen Arm gekratzt. Nicht dass du Schlangen besonders toll fandest, aber sie waren einfach zu zeichnen. Mit hunderten von farbgetränkten Nadelstichen hast du den Umriss dann ausgefüllt. Du hast gestochen und gebohrt, bis das Blut kam und sich mit der Farbe vermischte. Alle standen staunend drumrum und kreischten immer wieder leise auf.

Und sie fanden es voll gut, als du fertig warst, aber trotzdem war keiner besonders scharf drauf, der Nächste zu sein.

Also hast du so lange herausfordernd in die Runde geschaut, bis Tracey schließlich den Arm ausstreckte und die Augen fest zusammenkniff. Eine Blume wollte sie! Total kitschig, aber du hast es trotzdem gemacht. Und als sie gleich beim ersten Nadelstich angefangen hat zu heulen, hast du ihr kräftig eine geschmiert.

Die nächsten beiden »Freiwilligen« waren schlau oder eingeschüchtert genug, nicht zu heulen, aber der Depp David Davenport hat dermaßen geschrien, dass die Cafeteriafrauen angerannt kamen und du letztlich vor dem Drachen gelandet bist und wir am nächsten Morgen eine von ihren »Spezialandachten« über uns ergehen lassen mussten.

Man hätte meinen können, wir hätten da draußen auf dem Sportplatz Heroin gespritzt, so hat sie sich über die Gefahren des gemeinsamen Gebrauchs von Spritzen ausgelassen!

53

Es war einfach zum Schreien! Du saßt da, hast dich schlapp gelacht und musstest die Beine übereinander schlagen, um nicht in die Hose zu machen. So ein Theater wegen einem kleinen bisschen Lebensmittelfarbe!

Die Großeltern von Depp David, bei denen er gewohnt hat, haben dann noch ein Riesentheater gemacht, sind in die Schule gekommen und haben dem Drachen das Ohr abgequatscht von wegen, du seist verrückt, eine Gefahr für andere Kinder und warum man dich nicht rausschmeißen würde.

Gute Frage, eigentlich. Keiner konnte damals verstehen, warum man dir so viel durchgehen ließ, warum der Drachen dir immer und immer wieder eine »zweite« Chance gegeben hat. Vielleicht wäre alles anders gekommen, wenn sie das nicht getan hätte … vielleicht hätte man dich auf eine von diesen »Sonderschulen« schicken sollen, wo du nach Meinung mancher Leute hingehörtest … dann wäre alles vielleicht, aber nur vielleicht, ganz anders gekommen.

Aber vermutlich hat sie es gut mit dir gemeint. Sie hatte wohl Mitleid mit dir. Weil dein Leben da, gegen Ende der fünften Klasse, wirklich im Arsch war, wie man so schön sagt.

Nachdem »Alexander das Arschloch« am Tag vor deinem dritten Geburtstag seinen übereilten Abgang gemacht hatte, hatte deine Mutter keinen festen Freund mehr gehabt. Ihr wart also die meiste Zeit nur zu zweit. Klar gab es den einen oder anderen Typen, der kam und wieder ging, aber keiner blieb länger als vielleicht eine Stunde oder zwei oder auch mal über Nacht. Also nichts, was dich irgendwie anging, dachtest du jedenfalls.

Wenn jemals einer eine Bemerkung gemacht hat über die Art, wie deine Mutter ihre Sozialhilfe aufbesserte, hast du ihm einfach eine übergebraten. Und so haben alle gelernt, dass sie besser den Mund halten. Und wenn euch die alte Oma Newson mal wieder das Jugendamt auf den Hals gehetzt hat, dann habt ihr beide sie immer kurz und knapp abgefertigt.

Ich meine, was die da andeuteten, war ja wirklich ekelhaft ... Von wegen den seltsamen Vorlieben, die manche dieser Typen hatten. Und okay, ein paar von den Storys, die du im Park und auf dem Spielplatz erzählt hast über das, was du gesehen oder gemacht hattest, waren schon krass ... Aber die meisten Leute waren davon überzeugt, dass du dir alles nur ausgedacht hast, und Beweise gab es sowieso nie.

Ihr habt also zusammengehalten, du und deine Mum. Habt euch gegenseitig gedeckt. Ihr wusstet, dass sie nichts tun konnten, solange ihr beide die gleichen Geschichten erzählt.

Aber dann wurde plötzlich alles anders. Eines Abends tauchte deine Mutter mit einem Typen namens Barry auf. Nur verschwand der nicht wie alle anderen wieder. Er blieb.

Das Erste, was dir an Barry auffiel, waren seine Tattoos. Er war überall tätowiert. Am Hals, die Arme rauf, den Bauch runter, auf der Brust. Bilder von Tieren und

Panzern. Flugzeuge, Sprüche, Herzen und Mädchennamen. Dutzende von Mädchennamen.

Vielleicht kam daher deine Idee. Die mit den Tattoos. Obwohl mir nicht klar ist, warum du ihn imitieren wolltest. Du hast ihn gehasst. Von Anfang an hast du ihn gehasst, noch bevor …

Aber darüber will ich jetzt gar nicht nachdenken. Ich will nicht daran denken, was mit dir passiert ist, wie schlimm du wurdest, was du getan hast. Ich will es nicht sehen, Alex! Nicht noch einmal. Ich will das alles auslöschen. Vergessen. Ich will, dass es verschwindet.

Das Einzige, was den Schmerz auslöschen kann, ist noch mehr Schmerz. Eine andere Art von Schmerz.

Ich nehme ein paar Nadeln aus der Schachtel, lasse sie durch meine Finger und dann aufs Bett gleiten. Dann nehme ich sie wieder hoch. Eine nach der anderen.

»Josie? Was machst du da?«

Das kann nur Lara sein. Nur Lara platzt einfach ohne anzuklopfen rein.

Sie bleibt in der Tür stehen, den Mund leicht geöffnet, die Augen weit aufgerissen und verwirrt, während ich die Arme vor dem Körper verschränke in der Hoffnung, dass sie es nicht sieht. Aber sie hat es schon gesehen.

»Moira!«, schreit sie.

Und wie sie schreit. Schrill, hysterisch, springt dabei auf und ab, fuchtelt mit den Armen herum, bis Moira und Frank beide die Treppe hochgerast kommen.

Ich schätze, dass Frank Lara beiseite nimmt, weil

Moira alleine zu mir reinkommt. Zuerst sagt sie gar nichts. Sammelt nur die Nadeln vom Bett ein, legt sie in die Schachtel zurück und scheint beruhigt, dass sie noch ziemlich voll ist.

»Wie viele?«, fragt sie knapp und sachlich.

»Vier.«

»Wie viele?«, wiederholt sie.

»Weiß nicht. Sechs oder sieben vielleicht.«

»Wo?«

Ich strecke ihr meinen rechten Arm entgegen. Ihre Augen wandern suchend über die Narben und Kratzer. Meistens ältere.

Sie berührt einen nadelförmigen Wulst unter meiner Haut und zuckt dabei mehr zusammen als ich. Moira hat früher als Krankenschwester gearbeitet, und ich weiß, dass sie schon vieles gesehen hat, aber das hier scheint ihr wirklich an die Nieren zu gehen.

»Zieh dich an«, sagt sie. »Ich bring dich ins Krankenhaus.«

Ich schüttele den Kopf, verfluche mich selbst, während mir die Tränen in die Augen steigen.

Krankenhaus bedeutet Ärzte, Formulare, die ausgefüllt werden müssen, Berichte, die abgeheftet werden. Es bedeutet Schwierigkeiten.

»Kannst du das nicht machen?«, frage ich bittend.

Sie schüttelt den Kopf, aber dabei schwankt sie schon. Sie weiß, was es für mich bedeuten könnte, wenn es herauskommt. Was ich mit mir gemacht habe. Wieder einmal.

Kapitel 5

Moira hat es dann doch selbst erledigt. Ich hab gemerkt, dass sie es nicht gerne getan hat. Ich wusste, sie würde große Schwierigkeiten bekommen, wenn dabei irgendetwas schief ging. Wenn sich mein Arm entzündete. Wenn es jemand mitkriegte.

Mir war also klar, dass sie ein großes Risiko für mich eingegangen war, und deswegen protestierte ich nicht, als sie sagte, ich müsste Donnerstag und Freitag zu Hause bleiben. Ich lasse College nicht gerne ausfallen, aber ich wusste, dass Moira mich im Auge behalten wollte, um die Wunden regelmäßig neu zu verbinden und um sicherzugehen, dass ich mir nicht noch mehr zufügte.

Außerdem wollte sie reden. Und diese Art von Bohren ist echt schlimmer, als wenn sie in meinem Fleisch herumbohren muss, um mir die Nadeln wieder rauszuziehen. Aber ich hatte das Gefühl, dass ich ihr etwas schuldig war, und außerdem war es immer noch besser, mit ihr zu reden als die ganze Zeit nur mit dir.

Und ich wusste auch, dass es nichts an Moiras Meinung über mich ändern würde, weil sie die ganze Geschichte sowieso schon kennt. Eine der wenigen, die sie kennen mussten.

Also hab ich ihr erzählt, wie es war, nachdem Barry bei deiner Mutter eingezogen war. Wie du komplett ausgetickt bist. Wie es einfach immer schlimmer und schlimmer mit dir wurde. Aber als sie mich nach dem Grund dafür fragte, konnte ich ihr keine richtige Antwort geben. Es war irgendwie ein Rätsel. Keiner wusste wirklich, warum. Und wenn du selbst es wusstest, dann hast du es jedenfalls keinem verraten.

Für Außenstehende, oberflächlich betrachtet, schien Barry ganz okay. Ein bisschen laut vielleicht und ein bisschen zu fix mit den Fäusten, wenn er zu viel getrunken hatte, was meistens freitag- und samstagabends der Fall war. Aber unter der Woche ging er nicht fort, und er hatte einen festen Job, was man von den wenigsten Typen in unserer Gegend behaupten konnte. Er war Klempner und selbstständig und hatte sich gerade einen großen neuen weißen Lieferwagen gekauft, als er deine Mutter kennen lernte.

Du hast nie genau erfahren, wo und wie sich die beiden kennen gelernt hatten, und das war vielleicht Teil des Problems. Barry kam nicht aus der Siedlung, und er hat nie auch nur ein Wort darüber verloren, wo er vorher gelebt hatte, oder über seine Herkunft, seine Familie, als ob er etwas zu verbergen hätte. Und das hatte er auch – wie sich später herausstellen sollte.

Die alte Oma Newson mochte ihn. Flirtete sogar mit ihm rum, die blöde alte Kuh! »Ohhh Barry, könntest du vielleicht mal einen Augenblick hereinschauen? Ich glaube, mein Abfluss ist verstopft.«

Er hat ihr nie etwas berechnet. Auch den anderen Nachbarn nicht.

»Ganz der edle Ritter mit seinem glänzenden Overall«, hast du immer gesagt.

Die Nachbarn fanden das auch, und man munkelte, er sei wirklich ein Glücksgriff. Viel zu gut für deine Mutter.

Das Problem war nur, dass er nicht nur den perfekten Handwerker oder den perfekten Partner spielte, er wollte auch noch der perfekte Stiefvater sein.

Vielleicht war es das, hab ich zu Moira gesagt. Du wolltest einfach keinen Stiefvater, der dir sagte, wo's langgeht. Wann du ausgehen durftest, was du anziehen durftest und was nicht und wann du zu Hause sein musstest. Der deine Mutter auf seine Seite zog und sie gegen dich brachte. Deine Mum war immer total lässig gewesen, aber Barry war anders. Ständig musste er sich einmischen. Zur Not auch handgreiflich.

»Mit dem Typen zu Hause und dem Drachen in der Schule kann ich ja gleich in den Knast gehen«, hast du immer gesagt.

»War es wirklich so schlimm?«, fragte Moira.

»Ich weiß nicht so genau. Ich kann nur sagen, wie es damals wohl für Alex war.«

Und noch während ich das sagte, hab ich gemerkt, wie schwach das klang. Viele Kinder hassen ihre Stiefeltern. Viele hassen auch ihre echten Eltern. Aber sie flippen deswegen nicht total aus, oder? Selbst wenn ihnen klar wird, dass es sich bei der betreffenden Person um einen noch größeren, beschisseneren Betrüger handelt, als sie gedacht hatten.

Die Wahrheit über Barry hast du an jenem letzten Mittwochnachmittag der Sommerferien, bevor wir in die Sechste kamen, herausgefunden. Du hast ein paar neue Hosen und Schuhe für die Schule gebraucht und wolltest mit deiner Mutter einkaufen gehen. Nur ihr beide, so war es ausgemacht, aber dann tauchte Barry plötzlich mittags auf.

»Ich hab heute Nachmittag in der Richtung zu tun«, sagte er. »Ich fahr euch hin. Dann spart ihr euch den Bus. Und wenn ihr wollt, kann ich euch auch auf dem Rückweg mitnehmen.«

Du wolltest natürlich nicht, aber als du ihm gesagt hast, wohin er sich sein Angebot stecken könnte, hat dir deine Mutter eine geschmiert und gesagt, du solltest nicht so frech sein. Dann hat sie dich angeschnauzt, als du maulend hinten im Lieferwagen gesessen und mit den Füßen gebullert hast. Bis ihr im Einkaufszentrum ankamt, warst du also schon reichlich angesäuert. Eine Säure, die mehr als ätzend wurde, als Barry verkündete, er hätte noch eine gute halbe Stunde Zeit und könnte durchaus ein bisschen mit euch shoppen gehen.

»Da waren wir also und haben einen auf glückliche Familie gemacht«, hast du gesagt, als du uns die Geschichte später erzählt hast. Wir saßen unter der Rutsche und rauchten die Kippen, die du auf eurer Einkaufstour mitgehen lassen hast. Jeder gab sich Mühe, nicht zu husten, weil wir alle so tun wollten, als würden wir die ganze Zeit rauchen. Außerdem konnten wir dir schon an den Augen ablesen, dass es ganz schön was zu erzählen gab.

»Mum und er laufen da so Hand in Hand«, hast du gesagt und dabei das Gesicht verzogen. »Er ist dauernd an ihrem Ohrläppchen am Knabbern und ich trödel hinterher und versuch, nicht zu kotzen ... Da ruft plötzlich jemand seinen Namen und wir drehen uns um ... na ja, es gibt natürlich jede Menge Typen auf der Welt, die Barry heißen, und er hat zuerst versucht, so zu tun, als würde die Frau gar nicht ihn meinen. Aber sie kam schon angerannt und hat eine Plastiktüte rumgeschleudert und ihm voll in den Bauch gerammt. Keine Ahnung, was da drin war, aber es muss ziemlich schwer gewesen sein ... Er klappt jedenfalls zusammen und lässt die Hand von meiner Mutter los.«

Du hast gegrinst, während du das erzähltest, und dir noch eine Zigarette angezündet. Keiner sagte ein Wort. Keiner hat gefragt, wer die Frau war. Es war einfach sonnenklar, vermute ich. Die meisten kannten solche Szenen, zumindest aus dem Fernsehen.

»Seine Frau hat fast so viele Tattoos wie er«, sagtest du. »Und sie schreit und flucht, und Barry sieht aus, als würde er ihr gleich eine verpassen oder so. Aber das tut er nicht, weil mittlerweile schon massenhaft Leute rumstehen und gaffen. Und es ist klar, dass die meisten auf ihrer Seite sind, weil es vor allem Alte und Frauen mit Kindern sind, die so aussehen, als wären sie auch sitzen gelassen worden. Die nicken also alle mitfühlend, als sie rumschreit wegen dem Unterhalt, den er nicht bezahlt hat, und dass die Kids immer fragen, warum sich ihr Dad monatelang nicht blicken lässt ...«

Dann hast du eine Pause gemacht, weil dir klar wurde, dass du bei deiner Geschichte was Wichtiges ausgelassen hattest. Erzählen war nicht so dein Ding. Das mit dem Anfang und der Mitte und dem Schluss hast du nie richtig hingekriegt.

»Sie hatte die Kinder dabei«, fügtest du erklärend hinzu. »Und die sahen allesamt aus, als gehörten sie zu einem Zirkus oder so. Total bescheuert, echt. Erst sie mit ihren Tattoos, dem langen Blumenrock und Flip-Flops. Dann ein Mädchen, sah ungefähr aus wie fünfzehn, mit total weißem Gesicht, schwarzen Lippen, massenweise schwarzem Zeug um die Augen und einem Stachelhalsband um den Hals. Sie war voll groß und dünn. Total dünn. Hatte so ein schwarzes Trägertop mit lila BH drunter an. Wofür sie den brauchte, ist mir allerdings nicht klar. Sie hatte null Busen und man konnte ihre Schulterblätter voll spitz und kantig rausstehen sehen, genau wie ihr muffiges Gesicht.«

Nachdem du das gesagt hattest, hast du wieder eine Pause gemacht, Tracey beiseite geschubst und dich in das feuchte Gras unter der Schaukel gesetzt.

»Da war noch ein Mädchen, die war acht oder so, schätz ich. Total klein und rot und dick, wie eine matschige Tomate. Die beiden sahen überhaupt nicht aus wie Schwestern. Und der Matschtomate liefen die Tränen über ihr fleckiges Gesicht, das sah voll albern und blöd aus. Aber die Kleine war die Schlimmste. So 'ne pummelige Kleine mit blonden Locken, wie eine schlabbrige Stoffpuppe oder so. Und mitten in dem ganzen Geschrei und Geschimpfe rennt sie immer im Kreis rum und brüllt: ›Bubi, Bubi, Pups, Pups‹ oder irgend so was Blödes ...«

Aber natürlich hattest du dich gewaltig getäuscht.

Das älteste Mädchen war erst zwölf, die Tomate war zehn, und die kleine Verrückte war gar kein Mädchen, sondern der dreijährige Denzil.

Aber du hast die Zusammenhänge noch schnell genug erkannt. Dafür hat Barrys Frau schon gesorgt. Nachdem sie ihn erst einmal festgesetzt hatte, war sie nicht bereit, ihn so einfach laufen zu lassen. Oh nein. Sie hatte genug von der »Verarsche«, wie sie sagte. Ihr war es schnurz, was er machte und mit welchem Flittchen er zusammenlebte. Von ihr aus konnte er in der Hölle verfaulen, aber er sollte zahlen oder sie würde ihn verklagen. Und außerdem sollte er ihr immer mal die »verdammten Blagen« vom Hals schaffen.

»Immer mal« stellte sich bald als jedes Wochenende heraus. Und das wäre dir auch ganz recht gewesen, wenn er sich zu ihnen nach Hause verpisst und dich und deine Mutter in Ruhe gelassen hätte. Aber so hatte es seine Frau nicht gemeint.

Also ging bei euch jetzt jedes Wochenende die Horrorshow ab, wie du es damals genannt hast.

»Es wird wunderbar, Alex«, hat deine Mutter dir zunächst einzureden versucht. »Thalia ist so alt wie du. Ich dachte, sie könnte mit dir …«

»Niemals!«, hast du gebrüllt. »Was glaubst du, wer ich bin? Ich teil doch nichts von meinen Sachen mit so einem Tomatengesicht! Ich will nicht, dass mir einer von denen zu nahe kommt.«

Aber es ließ sich nicht vermeiden, schließlich war euer Haus nicht allzu groß. Also musstest du deinen Fernseher, deinen Gameboy, dein Fahrrad teilen … und nicht zuletzt auch deine Mutter und dein Zimmer mit dem kleinen Denzil. Abgedrehte Kinder. Abgedrehte Namen. Die Älteste hieß Odette, aber du nanntest sie nur Klosett.

Nach dem ersten Wochenende versuchte deine Mutter auch nicht mehr, dir einzureden, dass es »wunderbar wird«, weil das ganz eindeutig nicht der Fall war.

Klosett und ihr Vater hörten nicht eine Sekunde auf, sich anzuschreien und zu beschimpfen. Meistens weil sie nichts essen wollte. Dir war das egal. Dir war es egal, ob sie etwas aß oder nicht, und sie konnten sich anranzen, so viel sie wollten. Aber als Klosett dann mit deiner Mutter Streit anfing, war das was anderes.

»Ich soll mehr essen?«, schrie sie einmal. »Damit ich nachher aussehe wie diese fette Nutte da drüben! Echt, Mann!«

Du wolltest auf sie losgehen, bist aber über Denzil gestolpert, der auf allen vieren herumkrabbelte, bellte und sabberte wie ein tollwütiger Hund.

»Aber du möchtest ein paar Pommes, oder, Thalia?«, fragte deine Mutter.

Die Tomate schaute Klosett an, aber die zuckte nur die Schultern, also nahm Thalia die Pommes und schaufelte sie in ihren schrumpeligen Mund, ohne ein Wort zu sagen.

Die Tomate sagte nie etwas. Na ja, fast nie. Es gab keinen Grund für dieses Stummsein. Jedenfalls keinen organischen. Sie war »elektiv mutistisch«, um den Fachausdruck zu benutzen. Was im Prinzip nur heißt, dass sie nichts sagte, weil sie nicht wollte.

Aber das war nicht ihr einziges Problem. Sie hatte Schuppenflechte, deswegen war sie so rot und fleckig. Du hättest also eigentlich eher ein bisschen Mitleid mit ihr haben können, anstatt sie »Schuppe«, »Flecki« oder »Tomatengesicht« zu nennen. Aber »Empathie«, das Verständnis für die Gefühle anderer, war noch nie deine Stärke, oder?

Dir war es egal, was sie fühlten. Du wolltest nur, dass sie allesamt aus deinem Leben verschwanden. Barry und seine Tattoos, Klosett und ihre Essstörung. Thalia mit ihrer schuppigen Haut und Denzil mit seinem Bettnässen und den bescheuerten Geräuschen.

Deine Mutter hat sich mehr Mühe gegeben als du, wenigstens eine Weile. Sie ließ sich Klosetts dummes Gerede gefallen, versuchte, die Tomate zum Sprechen zu bringen, und nahm Denzil hoch, um ihn zu knuddeln, und versuchte, sich nichts daraus zu machen, wenn sie dabei einen Fußtritt in den Bauch oder eine Faust ins Auge kriegte. Dabei war Denzil eigentlich gar nicht aggressiv. Er wollte nicht treten und so. Er war einfach hyperaktiv und konnte es nicht vertragen, wenn man ihn knuddeln wollte oder sonst etwas, wobei er stillhalten musste.

Es machte dich ganz schön stinkig zu sehen, wie deine Mutter ihnen allen hinterherrannte und versuchte, nett zu sein und ihnen zu gefallen. Noch schlimmer war es dann aber, als sie damit aufhörte, weil ihr klar geworden war, dass es keinen Sinn hatte. Als du sie samstagmorgens in ihrem Schlafzimmer weinen hörtest, wenn Barry weggefahren war, um die Kinder zu holen. Als du gemerkt hast, dass sie Wodka kippte und haufenweise Tabletten schluckte, nur um das Wochenende zu überstehen.

Du wolltest weg. Wolltest dableiben. Du wusstest nicht, was du wolltest. Und wenn es dir gelang rauszukommen, war Denzil nie weit. Er mochte dich, Alex. Ich weiß nicht, warum. Wahrscheinlich weil er total durchgeknallt war. Und vielleicht gab es sogar einen Teil von dir, der ihn auch irgendwie mochte. Weil Denzil dir vermutlich das Gefühl gab, etwas Besonderes zu sein, oder? So wie er dir überallhin gefolgt ist ...

Ich hörte auf zu reden, zum einen, weil mir schlecht war, und zum anderen, weil Moira mich so komisch anschaute. Da wurde mir erst klar, dass ich überhaupt nicht mit ihr gesprochen hatte. Ich hatte wieder mit dir geredet.

»Und wie geht es dir«, fragte Moira, »wenn du daran denkst?«

»Woher soll ich das wissen?«, schrie ich. »Was hat das

mit mir zu tun? Das ist Alex' Geschichte, nicht meine. Wie soll ich über mich nachdenken, wenn mir diese ganze Scheiße das Hirn blockiert? Alles, was ich dir erzählt habe, war von Alex. Alex! Immer nur Alex! Ich kann an nichts anderes denken. Was damals passiert ist. Aber das weißt du doch sowieso schon? Also was soll der Scheiß?«

Moira sah aus, als wollte sie noch etwas sagen, aber dazu kam es nicht, weil Lara mit einer Tüte voll Brötchen aus der Küche kam.

Es muss also Donnerstagnachmittag gewesen sein, als wir dieses Gespräch hatten, weil das Laras freier Nachmittag ist und sie nicht in ihr College muss.

»Nicht die, Lara«, sagte Moira nach einem Blick auf die Brötchen. »Das sind die frischen, die ich heute Morgen geholt habe. Das alte Zeug liegt oben auf dem Brotkasten.«

»Oben auf dem Brotkasten«, wiederholte Lara, als wäre das eine ganz neue und aufregende Information.

War es nicht. Denn Moira legte das Brot für die Enten immer oben auf den Brotkasten. Es ist eins von Laras kleinen Ritualen, dass sie in den Park geht und die Enten füttert. Es ist ein richtiger Park, nicht so eine hundehaufenverminte Grünanlage wie die, in der wir als Kinder gespielt haben. Hier gibt es Tennisplätze, ein Putting Green, einen ordentlich abgezäunten Kinderspielplatz, ein Café und einen See zum Rudern.

Nicht dass ich da jemals hingehe, aber Lara liebt den Park.

»Aber denk dran, nur eine halbe Stunde«, sagte Moira. »Es wird langsam dunkel.«

»Halbe Stunde«, wiederholte Lara.

Sie kam zu mir rüber, um mich zu umarmen, bevor sie ging, und ich versuchte, nicht das Gesicht zu verziehen oder ihr auszuweichen. Es hatte nichts mit Lara zu tun. Nur manchmal ist mir einfach nicht nach Umarmungen zumute und ich will von keinem berührt werden. Außerdem drückte sie auf die Stelle an meinem Arm, wo Moira die Nadeln rausgezogen hatte.

Kapitel 6

Normalerweise hilft es mir, mit Moira zu reden. Aber diesmal war es irgendwie nicht so. Sie hat es gemerkt und deswegen wollte sie heute Morgen auch nicht in die Kirche gehen.

Sie und Frank gehen fast jeden Sonntag und nehmen Lara mit. Es ist so ein Gottesdienst mit viel Geklatsche, Gesinge und Trara. Ich bin einmal mitgegangen, nur um es mir anzuschauen. Hat mich verrückt gemacht. Lauter Leute, die sich umarmen und lächeln und mit den Armen wedeln, um Jesus zu danken, dass er sie von ihren Sünden befreit.

Sünden? Was wissen die denn schon von Sünden, wenn sie nie etwas Schlimmeres gemacht haben, als im Halteverbot zu parken?

»Mir macht es nichts aus«, erklärte ich Moira, als Lara bittend an ihrem Arm zog. »Ich mach auch bestimmt keine Dummheiten. Versprochen.«

Dann sind sie gefahren, aber ich weiß, dass sie gleich nach dem Gottesdienst zurückkommen und nicht zum Kaffee dort bleiben. Moira weiß so gut wie ich, dass meine Versprechen nicht immer viel bedeuten.

Trotzdem hat sie mich mit meinen Aufgaben fürs College am Computer zurückgelassen. Wir mussten uns ein Gebiet aus dem Thema Tierrechte aussuchen und einen Aufsatz darüber schreiben. Sarah macht was über Massentierhaltung, und ich weiß, dass sie eine Supernote kriegen wird. Die kriegt sie in Theorie immer. Graham hat sich die Verwendung von Tierorganen bei Transplantationen ausgesucht. Das hätte ich eigentlich am liebsten gehabt, aber bis ich mit der Auswahl dran war, hatten es schon drei andere genommen, sodass ich schließlich bei Tierversuchen für die Kosmetikindustrie gelandet bin.

Ich glaube, ich hab es ganz gut hingekriegt. Ich hab die Pro- und Kontra-Argumente dargelegt und muss jetzt nur noch die Schlussfolgerung schreiben. Zusammenfassen und meine eigene Meinung abgeben. Na ja, das ist ja nicht schwer. Dieser Haufen von sadistischen Wissenschaftlern, die nur scharf darauf sind, Kohle für die geldgeilen Kosmetikfirmen zu scheffeln, und die lächerliche menschliche Eitelkeit ausbeuten.

Oder ist das zu einfach gedacht? Zugegeben, das ist es. Also mach's richtig, Josie. Lass dir Zeit.

Das ist das Problem mit dieser ganzen Nachdenkerei. Ich kann die Dinge nicht mehr einfach in Schwarz und Weiß sehen. Plötzlich erscheinen alle Themen in undeutlichen Grautönen und mit politisch korrekten Ausdrücken. Ich könnte stundenlang hier sitzen und vernünftig abwägen.

Manchmal glaube ich, dass es einfacher war, als wir noch Kinder waren. Als wir auf dem Spielplatz Käfer zertreten haben, nur weil es so schön knirschte. Als wir Tiere auf der Straße mit Steinen beworfen haben, nur um ein Ziel zu haben. Oder auch Menschen, vorausgesetzt sie waren kleiner und langsamer als wir. Kleine Kinder und alte Knacker vor allem.

Wir haben auch nicht lange über das nachgedacht, was wir so gesagt haben.

»Mach das noch mal und ich hau dir die Birne ein«, war noch so ziemlich das Vernünftigste, was dabei herauskam.

»Ich bring dich um, verdammt«, war eine geläufige Drohung.

Deswegen hat sich auch keiner was dabei gedacht, als du an jenem Montag kurz vor den Weihnachtsferien angefangen hast, groß rumzutönen.

Warum führt jeder Einzelne meiner Gedanken zu dir zurück? Wie kommt es, dass ich über Tierversuche nachdenke und wieder bei dir und deiner großen Klappe lande? Und dabei denke ich noch nicht mal wirklich darüber nach. Deine Stimme ist tatsächlich hier, laut in meinem Kopf, und der Schmerz über meinem rechten Auge fängt wieder an.

»Ich bring sie um, ehrlich!«, hast du geschrien, sodass dich die ganze bescheuerte Schule hören konnte. »Ich schwör's. Ich knall sie alle ab, die ganze verdammte Bagage.«

Und es war keine Kunst zu erraten, von wem da die Rede war. Du hattest ein schlimmes Wochenende hinter dir. Keiner wusste, warum. Du hast nichts Genaues erzählt. Aber nachdem du noch vor dem Ende der ersten Stunde einen Stuhl nach dem Depp David geschmissen und Amrit mit einem Zirkel gestochen hattest, war es ziemlich offensichtlich, dass deine Laune nicht die beste war.

Wir hatten Mr Khan in der Sechsten, und der wusste immer, was zu tun war. Er bat Mrs Bell, eine der »Klassenhelferinnen«, die zur Unterstützung der Lehrer da waren, dich ein bisschen nach draußen zu bringen, bis du dich beruhigt hattest. Dieses »bisschen« stellte sich als der halbe Vormittag heraus, aber nach der Pause betrachtete man dich wieder als ungefährlich genug, um an der Generalprobe für das Weihnachtsspiel teilzunehmen. Eine schlechte, schlechte Entscheidung.

Das Weihnachtsspiel war natürlich eine Idee des Drachens gewesen. Die Kleinen führten ein Krippenspiel auf, die Dritten und Vierten Gedichte und Lieder, und den beiden oberen Klassen hatte sie ein Theaterstück aufgedrückt. Und das Ganze sollte den Eltern am Dienstagabend und dann noch einmal am Mittwochnachmittag vorgespielt werden, direkt vor Ferienbeginn.

Zwei Vorstellungen. Wirklich kaum zu glauben. Der Drachen hatte es geschafft, genug Karten zu verkaufen, ein Pfund das Stück, um die Aula zweimal zu füllen. Noch ein Zeichen dafür, wie sie nach und nach die Schule umkrempelte. Die Eltern mit einbezog. Sie dazu brachte, ihre lieben Kleinen auf der Bühne zu bewundern.

In dem Moment sah es allerdings nicht danach aus,

als würde es überhaupt eine Aufführung geben. Alle waren so überdreht mit ihren Perücken und der Schminke, dass sie die grundlegendsten Dinge vergaßen, zum Beispiel wo sie stehen und was sie sagen sollten.

»Also gut, Cinderella«, sagte der Drachen zu Tracey. »Du bist also in der Küche und schälst Kartoffeln, wenn die bösen Stiefschwestern reinkommen, klar? Und du, Alex, sagst ihr dann, sie soll sich beeilen, und fragst, warum sie den Boden noch nicht gefegt hat.«

Du standest da mit dieser bescheuerten lila Perücke und riesig geschminkten Lippen und hast dem Drachen einen bitterbösen Blick zugeworfen. Du hattest ihr von Anfang an gesagt, dass du nicht bei dem blöden Weihnachtsspiel mitmachen wolltest.

»Ach, aber wir machen doch *alle* mit«, hatte sie erwidert. »Und weißt du was, Alex? Ich hatte eigentlich eine Hauptrolle für dich vorgesehen, weil ich glaube, dass du ein richtiger kleiner Star sein könntest. In dir schlummert nämlich ein komisches Talent.«

»Blöde Kuh«, hast du gemurmelt, aber ich schätze, du warst ganz tief drinnen doch irgendwie geschmeichelt, denn du hast fast deinen ganzen Text gelernt und dich wirklich in die Sache reingekniet.

Nur am Tag der Generalprobe warst du wohl in einer seltsamen Stimmung. Und alle, die dich wirklich kannten, hätten sehen können, dass du eigentlich gar nicht richtig in der Aula anwesend warst. Du warst bei dir zu Hause und hast gesehen, wie Denzil auf dein Fußballtrikot pinkelt, weil er beschlossen hat, den unteren Teil deines Schranks als Klo zu benutzen. Du hast zugeschaut, wie Barry dein Skateboard an der Gartenmauer kurz und klein schlägt, weil du sein geliebtes Tomätchen nicht damit fahren lassen wolltest. Du hast gesehen, wie Klosett deiner Mutter das Essen ins Gesicht spuckt wie eine magersüchtige Cobra.

»Wach auf, Alex!«, half der Drachen nach. »Warum hast du den Fußboden noch nicht ...«

»Warum hast du den Fußboden noch nicht gefegt, Cinderella?«, hast du gemurmelt. »Und wofür schälst du die Scheißkartoffeln? Ich ess sie bestimmt nicht. Die haben doch massenweise Kalorien. Du blöde, fette Sau!«

»Alex!«, sagte der Drachen nur, während alle anderen johlten und lachten. »Ich habe nichts gegen ein bisschen Improvisation, aber ich glaube nicht, dass die böse Stiefschwester so was sagen würde.«

»Doch, das würde sie«, beharrtest du. »Meine tut's jedenfalls.«

»Ja«, sagte der Drachen und brachte alle anderen mit einem ihrer Blicke zum Schweigen. »Nun, ich denke, jede Familie ist anders. Und in unserem kleinen Stück geht es um Cinderella und ihre Familie und ...«

»Scheiß doch auf Cinderellas Familie!«, hast du gesagt, dir die Perücke vom Kopf gerissen und sie dem Drachen an den Kopf geworfen. »Die sollte sich mal mit meiner rumschlagen müssen, dann wüsste sie endlich mal, was abgeht. Um mit denen klarzukommen, braucht es mehr als so eine Scheißfee. Dazu braucht man ein beschissenes Maschinengewehr.«

Da warst du schon komplett ausgerastet. Ganz und gar. Du hast um dich geschlagen, Requisiten und Bühnenbild umgeschmissen. Die Töpfe fielen von ihren Haken, der Bühnenhintergrund krachte in sich zusammen, und der Kürbis segelte über die Bühne, bevor er zerschmettert als orangener Matschhaufen vor den Füßen des Drachens liegen blieb. Sie und zwei andere Lehrer brauchten gute zehn Minuten, bis sie dich gebändigt hatten, und das war dann natürlich das Ende deiner Schauspielkarriere. Die dritte weiße Maus wurde zur bösen Stiefschwester befördert und du wurdest für die beiden letzten Tage von der Schule ausgeschlossen.

Als deine Mutter dich schließlich abholen kam, hast du immer noch geschrien und geflucht. Und natürlich hatten mal wieder alle anderen Schuld, nur du nicht.

»Ich hab nichts getan! Das ist ungerecht!«

Und ich vermute, du hast es wirklich selbst geglaubt. In deiner Vorstellung war der Drachen schuld oder deine Mutter oder sonst irgendjemand. Alle, nur du nicht.

Barry war da natürlich anderer Meinung. Er hat dich in deinem Zimmer eingesperrt, bis du dich entschuldigt hättest. Gar nicht so sehr für das, was in der Schule passiert war, sondern weil du auf dem Heimweg deine Mutter getreten, geschlagen und angespuckt hattest.

Am ersten Weihnachtsfeiertag warst du immer noch in deinem Zimmer eingesperrt und hast gebrüllt, es sei dir egal, was er mit dir macht. Es sei dir egal, wenn du hier krepierst.

Das Geschrei war in Wirklichkeit eher Show. Ein paar Tage warst du da drin eigentlich ganz glücklich, vermute ich. Du hast Videos geschaut und Süßigkeiten gegessen, die deine Mutter zu dir reingeschmuggelt hat, und hast deinen Freunden Briefchen aus dem Fenster geschmissen. Darin stand, du seist entführt worden und alle sollten Lösegeld schicken. Und ein paar von den Volltrotteln haben das auch tatsächlich getan! Du hast fast zehn Pfund zusammengekriegt und fandest es voll witzig.

Aber dass du am Weihnachtsmorgen noch immer eingeschlossen warst, war dann doch eine andere Sache und gar nicht mehr witzig. Also hast du zu etwas härteren Methoden gegriffen. Du hast rumgeschrien, was Barry dir alles angetan hätte. Lügen, dachten die meisten, aber man konnte es ja nicht so genau wissen, oder? Und Oma Newsons knochige Finger müssen schon nach dem Telefon gegriffen haben, während sie sich noch fragte, ob das Jugendamt wohl an Weihnachten zu erreichen wäre.

Aber dann wurde es plötzlich ganz still, und nachmittags bist du mit dem neuen Skateboard, das du von deiner Mutter gekriegt hattest, auf die Straße raus.

»Na ja, ich musste mich einfach irgendwann entschuldigen«, hast du den anderen erklärt. »Sonst hätte Barry mein neues Skateboard am Ende noch dem Tomatengesicht geschenkt, wenn sie morgen kommt.«

So weit, so gut, aber das war nicht der wahre Grund dafür, dass du nachgegeben hattest. Oh nein! In Wahrheit war dir eine Idee gekommen. Wie du dich rächen konntest.

Später hast du dann behauptet, dir wäre die Idee bei einem Video gekommen, das du dir angeschaut hattest – »Das Weihnachtsmassaker«. Deiner Version hast du allerdings den Titel »Die Weihnachtsüberraschung« gegeben.

Und es war eine Überraschung. Obwohl es eigentlich keine hätte sein müssen. Denn es gab mehr als genug Hinweise, besonders als du dich später am Nachmittag auf den Weg zu Connor gemacht hast.

Connor Lyecroft hatte eine totale Macke. Er wohnte zwei Straßen weiter und man konnte ihn nicht verfehlen. Er trug immer Kampfkleidung und eine schwarze Sturmhaube. Selbst im Sommer.

Nachdem er mit der Schule fertig war, wollte er eigentlich so schnell wie möglich zur Armee. Aber die haben ihn nicht genommen. Er behauptete, es sei wegen des Sehtests gewesen. Weil er farbenblind sei oder so. Aber das war er gar nicht. Mit seinen Augen war alles in Ordnung. Ganz im Gegensatz zu seinem Kopf.

Er war schlicht und einfach strohdumm und ist wahrscheinlich bei allen Tests durchgefallen, aber das konnte ihn nicht erschüttern. Er ist trotzdem noch mit seiner bekloppten Sturmhaube durch die Siedlung gestiefelt, als käme er direkt von einem Einsatz der Spezial-Eingreiftruppe oder so, und hat mit seinem Luftgewehr in der Gegend rumgeballert und auf alles gezielt, was sich bewegte.

Das erklärt vermutlich, warum ich mich nicht daran erinnern kann, dass es bei uns viele Vögel gegeben hätte. Und ich glaube, die Katzen in der Gegend lebten auch nicht viel sicherer. Oma Newson hätte jedenfalls schwören können, dass es Connor gewesen war, der ihre kleine Ginger erledigt hatte.

Wir wussten alle, dass Connor nicht ganz zurechnungsfähig war, aber für uns Kinder war er trotzdem so was wie ein Held. Man konnte sich immer darauf verlassen, dass Connor Kippen und Dosenbier besorgte. Er versorgte uns auch mit anderen Sachen. Messer, Gras, billige CDs und Gameboys. Es gab nichts, was Connor nicht zu einem bestimmten Preis besorgen konnte. Und der Preis war nicht immer Geld, wenn ihr wisst, was ich meine.

Du hast nie verraten, was du Connor für seine Sachen geboten hast. Es war nur allgemein bekannt, dass du ihm so gut wie alles abluchsen konntest, selbst seine größten Schätze.

Du hast darauf geachtet, dass du erst nach Einbruch der Dunkelheit zurückkamst. Und so spät, dass deine Mutter und Barry schon zu besoffen waren, um zu bemerken, was du da heimlich ins Haus geschmuggelt hast. Dann hast du sogar noch per Telefon ein halbes Dutzend deiner Freunde informiert, dass es was zu sehen geben würde.

»Morgen früh elf Uhr«, sagtest du. »Lasst euch überraschen. Wartet's einfach ab. Es wird superwitzig.«

Aber es lief nicht ganz nach Plan. Barry hatte einen gewaltigen Kater und wäre vermutlich überhaupt nicht aufgestanden, wenn du ihn nicht geweckt hättest.

Sekunden später war seine Frau am Telefon, um ihn kreischend daran zu erinnern, dass er seine »verdammten Blagen« abholen sollte, und um fünf nach elf sah die kleine Zuschauerschar, wie er aus dem Haus torkelte, dabei noch seinen Hosenladen zumachte, bevor er sich in seinen Lieferwagen fallen ließ und mit quietschenden Reifen die Straße runterraste.

»Mann fährt in Lieferwagen weg« war zwar nicht gerade der Gipfel der Spannung, aber in deinem Fenster erschien ein Schild.

»Abwarten!«

Alle hingen rum und warteten etwa eine Dreiviertelstunde, bis der Lieferwagen quietschend wieder die Straße hochkam und etwas in deinem nun geöffneten Fenster erschien.

»Scheiße!«, brüllte Tracey. »Das ist ein Maschinengewehr!«

Aber da war es schon zu spät. Klosett streckte gerade ihre klapperdürren Beine vom Beifahrersitz, und die Tomate krabbelte hinten raus mit einem quengelnden, um sich tretenden Denzil im Arm, als du angefangen hast zu feuern.

Die meisten warfen sich gleich schreiend auf den Boden und sahen daher nicht, wie die Tomate Denzil fallen ließ und wie Klosett sich an die Brust griff, während sich ein roter Fleck auf ihrem weißen Pulli ausbreitete.

Sie sahen nicht, wie Barry zu deinem Fenster hochblickte und dein nächster Schuss ihn mitten ins Gesicht traf.

Aber über die eigenen Schreie hinweg muss der eine oder andere dann doch dein Lachen gehört und gewagt haben, den Kopf zu heben, denn plötzlich fingen sie auch an zu lachen.

Andere wiederum brauchten etwas länger, bis sie kapierten, dass Klosett zwar schrie und sich zitternd mit grausig rot verschmierten Händen an die flache Brust griff, dass sie dabei aber immer noch stand. Dass Barry ziemlich übel fluchte und schrie für jemanden, dem man gerade mitten ins Gesicht geschossen hatte, und dass das rote Zeug, das Denzil mittlerweile glücklich von seinen Hosen ableckte, überhaupt kein Blut war.

»Es ist Farbe!«, kreischte Liam. »Es war ein Paintball-Gewehr! Voll krass!«

Du bist die Treppe hinuntergesprungen, hast deine Mutter weggeschoben, die völlig verdattert in der Tür stand, und bist auf die Straße rausgerannt. Du hattest dir vielleicht deine Chance beim Weihnachtsspiel vermasselt, aber hier standest du mitten auf der Bühne, im Zentrum der Aufmerksamkeit, alle Blicke auf dich gerichtet. Einschließlich dem aus Barrys roten, brennenden Augen.

Aber irgendwie hattest du dich verrechnet. Vermutlich hast du gedacht, alle würden es so wie du als Scherz und harmlosen Streich auffassen. Und dass Barry dir da draußen auf der Straße nichts anhaben konnte, während alle anderen zusahen.

Aber das konnte er. Er hat dich gepackt, gegen die Seite des Lieferwagens gedrückt und deinen Kopf gegen das Metall geknallt, wieder und wieder.

»Hör auf!«, kreischte deine Mutter und versuchte, Barry wegzuziehen.

»Es war doch nur Farbe!«, heultest du.

»Nur Farbe!«, brüllte er und schleuderte dich zu Boden. »Was ist mit Thalias Haut und mit meinen Augen? Ich hätte blind werden können, du blödes ...«

Während er fluchte, schoss sein Fuß nach vorne, doch er trat nicht zu, weil sich der kleine Denzil auf dich geworfen hatte.

Ich weiß nicht, ob Denzil einfach nur verrückt war oder ob er dich schützen wollte ... Ich will jetzt auch gar nicht darüber nachdenken. Ich will überhaupt nicht mehr darüber nachdenken.

»Ich hab gesagt, dass ich nicht mehr über DICH nachdenken will! Es bringt also nichts, wenn du weiter da auf der Erde liegst, Alex, und versuchst, mich an alles zu erinnern. Damit ich Mitleid mit dir kriege! Weil es nämlich nichts mehr ändert! Es gibt keine Entschuldigung für das, was du getan hast, Alex! Und ich werde nicht hinsehen. Ich mache die Augen zu, siehst du?«

Aber das macht natürlich keinen Unterschied. Augen zu. Augen auf. Ich kann dich immer noch sehen, wie du da neben dem Lieferwagen liegst und dir das Blut, echtes Blut, aus der Nase läuft und in den Mund tropft. Und auf einmal warst du in der Opferrolle, dieses Mal wenigstens.

Als deine Mutter dich umarmt hat und später, als deine Freunde um dich herumstanden und dir versicherten, wie witzig du warst und was für ein humorloser, bösartiger Scheißkerl Barry war.

Deine Mutter redete sogar davon, mit Barry Schluss zu machen. Und wenn sie das wirklich getan hätte, wäre es vielleicht ... vielleicht ...

»Ihr Kinderlein kommet,

oh kommet doch all ...«

Sie sind schon wieder zurück. Laras Stimme erinnert mich daran, dass auch in der Realität in ein paar Wochen Weihnachten ist, und ich verfolge den »Was wäre wenn«-Gedanken nicht weiter auf seinem Weg ins Nichts. Sekunden später steht Lara im Zimmer und umarmt mich stürmisch.

»Jesus rettet alle Sünder«, verkündet sie strahlend und schiebt ihr lächelndes Gesicht bis auf einen Zentimeter an meines heran.

Na ja, da bin ich mir nicht so sicher, aber um deinet- und meinetwillen, Alex, kann ich nur hoffen, dass sie Recht hat.

Kapitel 7

Wie gesagt, ich weiß nicht, wie das mit Jesus ist, aber Lara rettet ganz sicher manchmal meine geistige Gesundheit. Jedenfalls das, was davon noch übrig ist. Moira lächelt dann bloß und meint, Jesus wirke durch Lara. Aber mehr sagt sie nicht. Sie versucht nie, mir ihre Religion aufzudrängen.

»Spielen wir heute Frisör?«, fragte Lara, als sie mit dem Weihnachtsliedersingen fertig war.

Das ist sonntagnachmittags eines von Laras Lieblings-»Spielen«: Frisör. Ich hatte zwar eigentlich keine rechte Lust, aber ich wusste, dass eine Absage sie verletzen würde, also hab ich den ganzen Kram zusammengesucht ... Shampoo, Föhn und »Mahagoni«-Tönung, weil Lara beschlossen hat, dass sie ihre hellbraunen Haare so dunkel haben will wie meine.

Sie sind am Ende nicht annähernd so dunkel wie meine, aber ich schneide die gespaltenen Spitzen ab, rubble ein bisschen Gel rein und föhne sie trocken, während wir mit Frank zusammen Fußball schauen. In meiner Begeisterung über ein Tor von United haue ich Lara versehentlich den Föhn auf den Kopf, aber sie verzeiht mir. Sie springt auf, betrachtet sich eingehend im

Spiegel über dem Kamin, und ich merke, dass sie mehr als zufrieden ist.

Auch Moira ist zufrieden. Für sie ist unser gemütlicher Familiennachmittag ein Zeichen, dass ich die Kurve gekriegt habe und man mich beruhigt wieder zum College gehen lassen kann.

Unglücklicherweise gehe ich montags aber nicht direkt zum College, weil mein erstes Seminar erst um elf ist. Stattdessen habe ich um halb zehn eine volle Stunde »Termin« bei meiner Sozialarbeiterin. »Ein kleiner Plausch«, wie sie es gerne nennt.

Heute ist es ziemlich harmlos, vermute ich. Es geht nur darum, wie ich auf dem College zurechtkomme. Nichts Tiefschürfendes. Nichts, was mit der Vergangenheit zu tun hat. Nichts, was mit dir zu tun hat. Oder mit dem, was wir getan haben. Und es ist nicht ihre Schuld, dass ich Schwierigkeiten habe, mich zu öffnen. Ich mag einfach keine Sozialarbeiter. Das kommt vermutlich von den paar Malen, die man mich als Kind ins Heim gesteckt hat.

Jedenfalls erzähle ich ihr genau das, was ich auch Graham erzählen werde. Dass ich am Donnerstag und Freitag gefehlt habe, weil ich erkältet war. Und wenn Moira ihr was anderes erzählen will, dann ist das Moiras Sache und nicht meine.

Vielleicht wäre Magen-Darm-Grippe besser als Erkältung, wenn ich mit Graham spreche? Denn man würde ja niemanden nur wegen einer Erkältung versetzen, oder? Aber wenn man kotzend über dem Klo hängt, bleibt einem nichts anderes übrig.

Auf der anderen Seite ist das nicht gerade das Bild, das er sich von mir machen soll. Wie ich ins Klo kotze. Ach, ich weiß nicht. Ich lass mir was einfallen. Ich werd ihn sowieso erst heute Nachmittag sehen. Er ist nicht in meinem ersten Kurs, weil er andere Fächer belegt hat als ich.

Ich wusste, dass es ein Fehler sein würde, im College zu essen. Ich hab es nur gewagt, weil mein Tutor mich aufgehalten hat und ich dachte, die Zeit reicht nicht mehr, um in die Stadt und zurück zu fahren und trotzdem rechtzeitig um zwei zur Vorlesung da zu sein.

Die Snackbar war gerammelt voll und ich hab mir ein Tablett geschnappt und mich in die Mega-Schlange eingereiht. Aber zu essen hab ich nie was gekriegt, denn als ich mir gerade ein Tomaten-Käse-Brötchen nehmen wollte, hörte ich ein schrilles Lachen. Klang wie eine Hyäne auf Speed, also konnte es nur unsere süße Sarah sein.

Den Kopf zurückgeworfen, sodass die blonden Haare ihrem Begleiter ins Gesicht fliegen. Aber es macht ihm nichts aus. Im Gegenteil. Graham lacht ebenfalls, während er seine Serviette nimmt und sich den großen Sahneklecks von der Nasenspitze wischt, der das ganze Spektakel ausgelöst hat.

Na ja, nur zwei Studenten, die ihren Spaß zusammen haben. Aber nachdem Graham seine Serviette wieder hingelegt hat, legt er den Arm um Sarahs Schultern. Er klopft ihr auf den Rücken, weil sie so lacht, dass sie bald erstickt. Ich wünschte, es wäre so. Denn auch nachdem das ganze Gelächter und die Klopferei vorbei sind, bleibt Grahams Arm, wo er ist, und er beugt sich vor, um ihr etwas zuzuflüstern, und dabei berühren seine Lippen fast ihre Wange.

»'tschuldigung!«

Die Leute hinter mir haben die Schnauze voll und drängeln sich an mir vorbei. Und ich weiß nicht, ob ich mich weiter voranbewegen oder mir einen Weg nach draußen bahnen soll. Haben Graham und Sarah mich gesehen? Macht es ihnen was aus? Spielt es eine Rolle? Macht es mir was aus?

Es ist ja nicht so, als wäre da was zwischen mir und Graham gewesen, sage ich mir und beschließe endlich, mich in Richtung Tür zu bewegen. Ich hab's ja nicht mal zu unserer ersten Verabredung geschafft, oder? Es gibt also keinen Grund, warum er und Sarah nicht da sitzen und sich gegenseitig Sahnetörtchen ins Gesicht schmieren sollten. Nichts, weswegen er nicht seinen Arm um sie legen sollte. Vielleicht hat es ja auch gar nichts zu sagen. Vielleicht.

Draußen regnet es und so marschiere ich direkt zum Hörsaal und lasse mich dort auf einen Sitz ganz hinten fallen. Ich hoffe, dass die kühle, ruhige Luft und die zwei Kopfschmerztabletten, die ich schlucke, das Feuer dämpfen können, das in meinem Kopf wütet. So fühlt es sich an. Wie Feuer. Die Flammen schießen hinter meinen Augen in die Höhe, sie zischen und knacken in meinen Ohren, und der dicke schwarze Rauch lässt mich innerlich ersticken.

Der Hörsaal ist leer, und als eine Gestalt aus dem Rauch und den züngelnden Flammen auftaucht, weiß ich gleich, wer es ist.

»Hau ab! Ich will dich hier nicht haben. Nicht jetzt.«

Aber du bist da und siehst genauso aus wie am ersten Tag deiner Gerichtsverhandlung. Deine Anwälte hatten dich hübsch herausgeputzt mit einem blauen Hemd, das die Farbe deiner riesigen blauen Augen betonte. Die kurzen blonden Haare sauber gekämmt und glänzend.

Dein Auftritt im Gerichtssaal rief tatsächlich ein Raunen hervor. Wie konnte jemand, der so aussieht, für ein derartiges Blutvergießen verantwortlich sein?

»Das hier hat nichts mit dir zu tun!«, höre ich mich selbst rufen. Meine Stimme hallt im Hörsaal wider, kommt zu mir zurück. »Das bin ich. Es ist mein Leben. Mein Problem. Hau ab!«

»Josie? Josie, ist alles in Ordnung mit Ihnen?«

Die engelsgleiche Erscheinung verblasst langsam und nimmt eine andere Form an. Immer noch klein. Immer noch mit blauem Hemd, aber mit buschigem rotblondem Vollbart und Goldrandbrille.

»Sie haben etwas gerufen«, sagt Mr Phinn.

»Äh … ich war früh dran. Muss wohl eingenickt sein«, sage ich.

Er stellt die Aktentasche ab, setzt sich in die Reihe vor mir und beugt sich zu mir herüber, starrt mich an.

»Sie sehen ein wenig erhitzt aus«, meint er und betrachtet mein Gesicht eingehend, als suche er nach Zeichen von Drogenmissbrauch.

»Hab meine Tage«, sage ich.

Bei Mr Phinn weiß man auf den ersten Blick, dass er der Typ ist, dem solche »Frauenprobleme« peinlich sind. Und tatsächlich, er springt von seinem Sitz auf, als hätte er soeben bemerkt, dass er auf einem Stachelschwein oder so sitzt, packt seine Tasche und trippelt davon, während er Entschuldigungen vor sich hin murmelt.

Er wuselt vorne herum, breitet seine Vorlesungsnotizen aus, und ich weiß, dass er mich nicht aufhalten würde, wenn ich jetzt einfach aufstehen und rausgehen würde. Aber mittlerweile kommen schon die ersten Leute rein und die Tabletten tun auch ihre Wirkung. Ich fühle mich ein bisschen besser. Glaube ich zumindest.

Selbst als Sarah und Graham Hand in Hand hereinschlendern, komme ich damit klar. Was hab ich denn erwartet? Schließlich hab ich ihn versetzt. Außerdem wäre es sowieso nichts geworden, ich bin doch nicht blöd. Ich weiß das. Ich bin noch nicht so weit. Vielleicht hat Graham gespürt, dass mein Interesse nicht so besonders groß war. Wie Moira immer sagt: Am besten konzentrier ich mich erst einmal aufs College.

Das fällt einem bei Mr Phinn nicht schwer. Er sieht vielleicht ein bisschen vertrottelt aus, aber er hält gute Vorlesungen.

»Welches Tier ist das gefährlichste der Welt?«, ruft er aus, während die ersten Bilder auf der Leinwand erscheinen.

Wir sollen nicht antworten. Einfach nur die Bilder anschauen und nachdenken.

»Der Große Weiße Hai?«, fragt er. »Der afrikanische Elefant? Die kleine, aber tödliche Schwarze Witwe? Krokodile? Tiger? Nashörner? Das ist kein Spaß, wenn die einem mit siebzig Sachen in die Quere kommen. Oder wie sieht's mit denen hier aus?«

Das nächste Bild zeigt eine lächerlich glückliche Familie beim Picknick, wie einer Margarinewerbung entsprungen. Weidenkorb, rot-weiß karierte Tischdecke auf kurzem grünem Gras. Und keine einzige Wespe in Sicht.

Ein zweites Bild zeigt den Abfall, den sie hinterlassen haben, und wir ahnen langsam, worauf Mr Phinn hinauswill.

»Sie haben jetzt zwei Minuten Zeit, die möglichen Gefahren für Tiere und Umwelt aufzulisten«, sagt er.

Sarah, die ein paar Reihen vor mir sitzt, fängt schon an zu schreiben, bevor er überhaupt aufgehört hat zu reden. Und ich hab noch nicht mal meinen Schreibblock rausgeholt.

Macht nichts, wenn ich nicht alles mitschreibe, es ist alles ziemlich offensichtlich, und ich kann mir die wichtigsten Punkte merken, bis ich zu Hause bin.

Außerdem geht er es jetzt noch mal alles durch. Schritt für Schritt, bis ins Detail veranschaulicht. Ein Igel hat sich in der Plastikhalterung verfangen, mit der die vier Coladosen zusammengebunden waren. Schafe marschieren durch das Gatter, das die Picknicker offen gelassen haben, auf die Straße. Ein Schwan fällt einem von Daddys Angelhaken zum Opfer. Und während sie mit ihrem Auto davonbrettern, frisst sich das kleine Feuer, das sie brennen gelassen haben, durchs Gras.

»Der Mensch!«, grollt Mr Phinn. »Eine Gefahr für die Tiere, für die Umwelt und letztlich …«

Graham hat seinen Stift fallen gelassen, und ich glaube, er berührt Sarahs Bein, als er sich runterbeugt, um ihn aufzuheben, denn sie gibt ein idiotisches kleines Quieken von sich.

»Und letztlich«, wiederholt Mr Phinn und wirft Sarah einen bösen Blick zu, »wird der Mensch zur Gefahr für sich selbst.«

Na ja, er trägt natürlich ein bisschen dick auf. Und es ist ziemlich unwahrscheinlich, dass eine einzige Familie das ganze Chaos mit ihrem Picknick veranstalten könnte. Oder doch? Reicht nicht ein einziger verrückter Mensch, eine gedankenlose Tat …?

Und plötzlich ist dein Bild da auf der Leinwand. Du auf dieser Brücke.

Wie ist Mr Phinn an dieses Bild gekommen? Warum tut er mir das an? Was weiß er?

Ich brauche einen Augenblick, bis es mir klar wird. Gerade noch rechtzeitig, um meinen Aufschrei zu unterdrücken.

Das ist kein Bild von Mr Phinn. Er hat den Apparat ausgeschaltet. Es ist mein Bild. In meinem Kopf. Aber das macht es nicht weniger wirklich. Und egal wie sehr ich zwinkere und mir die Augen reibe, es geht einfach nicht weg.

Ich kann die Brücke so deutlich sehen wie am Tag ihrer Eröffnung.

Es hatte von Anfang an jede Menge Aufregung um ihren Bau gegeben. Irgendein Idiot hielt es für eine gute Idee, die Straße zu verbreitern, die mitten durch unsere Siedlung führte. Als Verbindung zum neuen Autobahnabschnitt und um die Anfahrt zu dem neuen Einkaufszentrum auf der grünen Wiese zu erleichtern. Der Ausbau dauerte natürlich Jahre und verursachte währenddessen ein Mega-Chaos. Und noch mehr Chaos, als er dann fertig war.

Wie diese Pläne jemals genehmigt wurden, ist mir ein Rätsel. Es gab Gerüchte über dubiose Machenschaften und Bestechungsgelder. Ich glaube sogar, dass ein paar Leute später angeklagt wurden. Es muss da irgendwas gemauschelt worden sein, denn die ganze Angelegenheit war einfach absurd.

Angeblich sollte die neue Straße ein Gewinn für die Bewohner unserer Siedlung sein, damit sie sich nicht mehr so abgeschnitten und isoliert fühlten. Und vermutlich damit sie jetzt losziehen und das ganze Geld, das sie nicht hatten, in dem neuen Einkaufszentrum ausgeben konnten.

Gut, das war jetzt möglich. Und man war wirklich schneller auf der Autobahn. Weswegen nach und nach auch alle Lastwagenfahrer diese Straße benutzten. Aber die Straße schnitt unsere Siedlung mitten entzwei. Wir auf der einen Seite und unsere Grundschule auf der anderen, zum Beispiel. Und nicht einmal ein armseliger Zebrastreifen, ob man's glauben will oder nicht. Oben ein Kreisverkehr und ungefähr eine Meile weiter unten eine Ampel, aber wozu sollten die gut sein? Wir hatten ja keinen Bock, einen meilenweiten Umweg zu gehen, nur weil wir über die Straße wollten. Also riskierten wir es und schossen zwischen den Bussen und Lastwagen hindurch.

Vielleicht hatten der Stadtrat oder irgendwelche anderen Blödmänner, die diese Entscheidung gefällt haben, gedacht, die Eltern bei uns in der Gegend würden wegen ein paar platt gefahrener Kinder keinen Aufstand machen. Aber da hatten sie sich getäuscht. Meine Mutter unternahm nichts, aber es gab genügend andere. Die haben Petitionen eingereicht, Briefe geschrieben, telefoniert und, als das alles nichts half, eine Demo organisiert und die neue Straße mit ihren Autos blockiert.

Eilig wurde eine weitere Ampel installiert, aber das war noch nicht genug. Inzwischen hatten die Leute den Sieg gewittert und verlangten eine Unterführung oder eine Fußgängerbrücke.

Es war ein Riesenaufstand. Die Straße musste während der Bauarbeiten wieder gesperrt werden. Man entschied sich gegen eine Unterführung, weil eine Unterführung eine Einladung an Diebe, Drogenabhängige und Penner sei. Aber ich glaube eher, sie hatten keine Lust, unter ihrer schönen neuen Straße durchzubuddeln. Eine Brücke war dagegen billiger, schneller und sicherer.

Na ja, ich meine, sie wäre sicherer gewesen, wenn sie sie ordentlich gebaut hätten. Nämlich kinder- und vandalismussicher. Aber ich vermute, die Architekten hatten selbst keine Kinder. Denn sonst hätten sie's ja besser wissen müssen, oder? Sie hätten entdeckt, was wir gleich beim ersten Überqueren am Anfang der sechsten Klasse entdeckten.

Die Brücke hatte ein Metallgeländer, keine massiven Steinmauern an der Seite. Ein nettes Metallgeländer, durch das man alles Mögliche auf die viel befahrene Straße darunter schubsen konnte.

Warum wir Spaß daran hatten? Das frage ich mich jetzt auch. Weil es einfach möglich war. Weil es Spaß machte, die Chipstüten und Bonbonpapiere wie Herbstblätter nach unten segeln zu sehen. Es war witzig, wenn die Coladosen mit einem blechernen Scheppern auf die Autos prallten. Wir haben uns keine Gedanken darüber gemacht, dass die Fahrer abgelenkt werden könnten. Oder es war uns einfach egal.

Und es gab noch ein Problem mit der Brücke. Eines, das die aufmerksameren Eltern gleich bemängelten. Der dicke Metallholm, der das Geländer oben abschloss, war nur ungefähr auf Kopfhöhe der meisten Kinder, und es dauerte nicht lang, bis wir uns daran hochzogen und drüberbeugten.

Es konnte eigentlich nichts passieren. Wir waren ja nicht so blöd, uns so weit rauszulehnen, dass wir drüberfielen. Aber das war es natürlich, was einige Eltern fürchteten, und deswegen starteten sie eine neue Kampagne, dass das Geländer erhöht und der Abstand zwischen den Metallstreben kleiner werden sollte.

Ich schätze mal, dass das Gerede der Leute über die Gefährlichkeit der Brücke dich überhaupt erst auf alles gebracht hat.

»Ich erwarte, dass ihr keinen Unfug auf dieser Brücke macht«, hatte der Drachen eines Morgens während der Andacht verkündet.

Zumindest ein Teil ihrer Botschaft muss bei dir hängen geblieben sein. Die Wörter »Unfug« und »Brücke«, denn an dem Abend hast du auf dem Heimweg mit dem Unfug angefangen, und zwar ganz gewaltig.

Coladosen waren dir nicht mehr genug. Du musstest anfangen, Steine runterzuschmeißen. Zuerst kleine. Dann größere.

»Gefährliches, gefährliches Verhalten«, dröhnt Mr Phinns Stimme. »Aber wir lernen nichts dazu, oder?«

Keine Ahnung, wovon er redet. Ich hab völlig den Anschluss verloren. So wie es mir immer in der Schule ging. Immer hab ich versucht, zuzuhören und aufzupassen, aber immer hab ich mich ganz woanders wiedergefunden.

Inzwischen kann ich mich eigentlich ziemlich gut konzentrieren. Außer heute Nachmittag.

Ich überlege, ob du wohl wusstest, was du tatest. Ob du das, was du an diesem Samstagvormittag Anfang Februar getan hast, wirklich geplant hattest, oder ob es ein plötzlicher Einfall war, als du Barrys Lieferwagen gesehen hast.

Auf der Brücke zu »spielen«, war inzwischen zu unserem liebsten Zeitvertreib geworden. Wir saßen auf dem Boden und ließen die Füße durchs Geländer baumeln oder hingen oben drüber und warteten nur auf die zwangsläufige Reaktion der vorbeikommenden Erwachsenen. Manchmal hatten wir noch den Zusatzspaß, dass Autofahrer nach oben schauten und sich panisch fragten, was wir wohl fallen lassen würden.

Irgendwas hatte dir an dem Morgen schon nicht in den Kram gepasst. Vermutlich hatte deine Mutter etwas gemacht oder Barry hatte etwas gesagt, bevor er losgestürmt war, um seine Horrorkinder zu holen. Wahrscheinlich hat schon der Gedanke an ihr baldiges Auftauchen gereicht, um dir die Laune zu verderben.

Ich weiß, du hast behauptet, du hättest den großen Ziegelstein gefunden. Aber war es wirklich so einfach? Hättest du ihn »gefunden«, wenn du nicht danach gesucht hättest?

Du warst »auf Ärger aus«, hat die alte Oma Newson immer gesagt, wenn sie dich so rumstreunen sah.

Es war einer von den Tagen, an dem du alle nervös gemacht hast, das halbe Dutzend Kinder um dich herum, von denen keines so recht wusste, was in deinem Kopf vorging. Das wussten sie ja noch nicht mal von ihrem eigenen.

Es ist gefährlich, große Ziegelsteine auf Straßen zu schmeißen. Echt gefährlich. Das wussten wir alle. Selbst du wusstest es. Deswegen waren sich auch alle ziemlich sicher, dass du es nicht wirklich tun würdest.

Du hast doch nur Quatsch gemacht, oder? Wie du da auf Zehenspitzen gestanden bist und den Ziegelstein oben auf dem Geländer gehalten hast. Sobald die Warnung ertönte, dass jemand kam, hast du ihn schnell weggezogen und unter deiner Jacke versteckt. Aber das passierte nicht so oft, weil auf der Brücke am Wochenende nicht viel los war. Die Leute waren alle im Bett oder fuhren in ihren Autos durch die Gegend, schätze ich.

Außerdem regnete es an diesem Tag. Nur ein feiner Nieselregen, wenn ich mich recht erinnere, aber genug, um die Leute vom Spazierengehen abzuhalten.

»Mach schon, Alex«, kicherte Liam, als du den Stein wieder in Position gebracht hattest. »Mach schon, lass ihn doch fallen, wenn du dich traust.«

Wenn du dich traust. Gefährliche Worte waren das.

Deine Arme fielen nach unten. Alle hielten die Luft an oder schrien.

Aber du hattest den Ziegelstein fest im Griff. Dieses Mal noch.

Kapitel 8

Du hast es gewusst, stimmt's, Alex? Du hast gewusst, wie verrückt es war. Aber die Versuchung war einfach zu groß. Als du Barrys Lieferwagen gesehen hast.

Der war ja auch kaum zu übersehen. Weiß mit seinem Namen in Rot auf den Seiten und noch einmal auf dem großen Plastikrohr, das er obendrauf befestigt hatte.

War es Zufall, dass er vorbeifuhr, als du diesen Stein in der Hand hattest? Oder hattest du es geplant? Du wusstest, dass er diesen Weg nehmen würde, oder? Aber hattest du wirklich geplant, diesen Stein zu werfen, oder hast du es aus dem Moment heraus entschieden? Hast du versucht, ihn umzubringen? Wolltest du ihm Angst machen? Was hast du dir dabei gedacht, Alex? Hast du dir überhaupt etwas gedacht? Oder war in deinem Kopf wie üblich nur eine einzige schwarze, bedrohliche Wolke von chaotischen Gefühlen?

Was auch immer. Ich weiß es nicht. Aber wenn du vorgehabt hast, Barry eins auszuwischen, dann hat es jedenfalls nicht funktioniert. Dein Verständnis von Mathe und Physik war ein bisschen wackelig, wie dein Verständnis der meisten Sachen. Barrys Wagen war bereits an der Brücke, als du den Ziegelstein losgelassen hast. Und er war längst sicher unter der Brücke, als der Stein direkt vor einem blauen Fiesta auf den Boden knallte.

Alle waren wie der Blitz verschwunden, deswegen haben wir nie rausgefunden, ob das Vorderrad tatsächlich gegen den Stein fuhr oder ob die Fahrerin, eine ältere Dame, einfach nur einen Schreck bekam und ausweichen wollte.

Wir haben nicht zurückgeschaut, als wir den Aufprall hörten, und erst später haben wir erfahren, dass sie frontal mit einem entgegenkommenden Rover zusammengestoßen war.

Die Autos hatten beide Totalschaden, wie man in unserem Lokalblatt nachlesen konnte. Aber die Fahrer und die zwei kleinen Kinder auf der Rückbank des Rovers waren unverletzt. Keiner hatte auch nur einen Kratzer. Sie hatten Glück.

Du hattest Glück.

Keiner hat dich verpfiffen, natürlich. Hatten sie Angst? Oder ein schlechtes Gewissen? Oder waren sie zu dumm?

Jedenfalls hat keiner einen Ton gesagt. Nicht als die Eltern gefragt haben. Nicht als die Bullen herumschnüffelten. Nicht einmal als der Drachen uns am Montag während der Morgenandacht von oben herab anstarrte.

»Wenn irgendeiner von euch etwas über diese furchtbare, gedankenlose und zerstörerische Tat weiß«, sagte sie, »dann müsst ihr kommen und es mir sagen.«

Keine Chance. Obwohl später bei deiner Gerichtsverhandlung natürlich alles rauskam. Die Leute konnten es
kaum erwarten, alles auszuplaudern. Sich die Hirne zu
zermartern, damit sie sich an all die verrückten Sachen
erinnerten, die du jemals verbrochen hattest. Damit sie
sagen konnten, sie hätten schon immer gewusst, was
für ein bösartiges, widerliches Stück Mensch du warst.
Die Staatsanwaltschaft hat sogar diese bescheuerte
Paintball-Geschichte wieder ausgegraben. Als Beweis
für mörderische Gedanken, vermute ich.

Aber erst mal haben wir alle den Mund gehalten. Es
hat uns ein bisschen aufgerüttelt und wir sind hinterher
lange nicht mehr zur Brücke gegangen. Drübergegan-
gen sind wir, aber wir hingen dort nicht mehr rum, und
wir haben definitiv keines von unseren Spielchen mehr
gespielt.

Die Kampagne, dass »etwas mit der Brücke passiert«,
hat nach dem Unfall neuen Schwung bekommen, ver-
lief dann im Sand und wurde erst wieder aufgenom-
men, als Connor und seine krassen Kumpels sich einen
Spaß draus machten, auf ihrem Rückweg von der
Kneipe auf den vorbeifahrenden Verkehr zu pinkeln.

Danach hätte es nur dann etwas gebracht, wenn man
die ganze Sache noch einmal komplett aus Stein gebaut hätte. Aber so was braucht seine Zeit. Und bevor
noch irgendetwas in der Angelegenheit getan werden
konnte, hattest du schon wieder eine von deinen verrückten Ideen.

»Also. Sind alle fertig?«

Köpfe nicken Mr Phinn zu und ich lasse meinen automatisch mitnicken. Die Ersten packen zusammen und gehen raus. Aber ein paar bleiben noch für die Vorlesung um drei Uhr von Miss Layton. Sie ist noch ganz jung, und ich glaube, dass es ihr erstes Jahr ist, weil sie so total nervös und nichts sagend und langweilig ist.

Die Jungs vergnügen sich meistens noch ein Weilchen damit, ihre Möpse anzustarren, wie sie in einem dieser albernen knappen T-Shirts rumhopsen, die sie immer trägt. Ich meine, wenn sie sich im Winter so anzieht, was will sie dann im nächsten Sommer tragen? Aber es sieht nicht so aus, als würde sich Graham heute für Miss Layton interessieren. Er ist viel zu beschäftigt, mit der süßen Sarah rumzutuscheln. Was findet er bloß an der? Sie ist eine Heulsuse. Und eigentlich nicht wirklich hübsch. Abgesehen von den Haaren. Die Haare sind schön. Und die grünen Augen, schätze ich. Sie ist dünner als ich. Etwas größer. Schlauer wohl auch. Aber das sind die meisten.

Oh nein, bitte nicht! Nicht schon wieder Knochen. Miss Layton hat ein paar von den Jungs gebeten, ihre Skelette reinzubringen. Als wäre mir nicht so schon unheimlich genug.

Das ist mal wieder typisch. Genau dann, wenn ich etwas Interessantes gebrauchen könnte, damit meine Gedanken nicht immer hin und her hüpfen, von der Vergangenheit zu den zwei Turteltäubchen drei Reihen vor mir – was kommt dann? Biologie! Knochentrockene Knochen.

Nichts, was mich ablenken könnte. Nichts, was meine Gedanken von jener Brücke und dem neuen Spiel, das du dir ausgedacht hattest, abziehen könnte.

Es war eines Abends auf dem Heimweg von der Schule, irgendwann Anfang März muss es gewesen sein, nachdem du dich über diese Geschichte mit Barrys Frau so aufgeregt hattest.

Nach und nach war die Brücke wieder zum Anziehungspunkt geworden. Niemand warf mehr etwas runter, das war uns gründlich ausgetrieben worden. Aber wir zogen uns hoch und hingen über dem Geländer. Forderten uns gegenseitig heraus, uns immer weiter und weiter hinauszulehnen. Wir müssen echt verrückt gewesen sein.

Du hast dich immer weiter hinausgelehnt als alle anderen, aber selbst du hattest deine Grenze erreicht, und das Spiel wurde mit der Zeit langweiliger.

»Halt mal meine Tasche«, hast du Tracey an dem Abend befohlen, als wir zur Brücke kamen.

Tracey, die dir wie immer aufs Wort gehorchte, hielt die Tasche.

»Knie dich hin«, hast du Liam befohlen.

Liam kniete sich hin.

»Nicht so!«, hast du gesagt und ihn in die richtige Position geschubst.

Kopf nach unten, den Rücken leicht gewölbt.

Du hast seinen Rücken als Trittstufe benutzt und er hat sich natürlich nicht bewegt. Und sich auch nicht beschwert. Keiner hat sich je beschwert, oder? Keiner hat je versucht, dich an etwas zu hindern. Nicht wirklich. Aber wahrscheinlich hättest du sowieso nicht drauf gehört.

Liam mit seinem eingezogenen Kopf und dem schildkrötenartig gerundeten Rücken war der Einzige, der nicht sehen konnte, was du gemacht hast. Er war der Einzige, der nicht sah, wie du den Holm umklammert und dein rechtes Bein darüber geschwungen hast, bis du rittlings auf dem Scheißgeländer gesessen bist und der Verkehr unter dir vorbeidröhnte.

»Oh mein Gott, oh mein Gott«, hauchte Tracey.

Deine Beine umklammerten die Seiten, deine Hände packten den Holm vor dir. Der Holm war ziemlich breit. Und ziemlich kräftig. Viel dicker als der Balken, über den wir im Sportunterricht gehen mussten. Aber der im Sportunterricht war im Gegensatz zu diesem nur vierzig Zentimeter über dem Boden. Und ohne Schwerlastverkehr, der darunter vorbeiraste.

»Komm runter, Alex«, meinte jemand eher halbherzig.

Aber du hast dir nur ungern von anderen sagen lassen, was du tun solltest, und hast bloß gegrinst.

»Wetten, dass ich es bis ganz rüber schaffe«, sagtest du.

Keiner wettete dagegen. Weil keiner einen solchen Wahnsinn unterstützen wollte? Oder weil sie dachten, sie würden die Wette verlieren? Denn du hattest dich bereits in Bewegung gesetzt. Hast dich Millimeter für Millimeter vorgeschoben. Geradezu quälend langsam.

»Verdammt noch mal!«, rief plötzlich eine tiefe Stimme, und dieser Typ kam auf uns zugerannt.

Keiner, den wir kannten, deswegen grinsten wir ihn bloß an. Supercool, oder?

Der Mann packte dich und zog dich runter.

»Du Schwachkopf«, sagte er. »Du dummer, dummer kleiner Schwachkopf.«

Sein Gesicht war irgendwie ganz lila angelaufen und er zitterte am ganzen Leib. Ich wette, er hätte dich gleich zur nächsten Bullenwache geschleift, wenn du ihm nicht in die Eier getreten hättest. Was dann auch das Stichwort für alle anderen war, aus ihrem Trancezustand aufzuwachen und abzuhauen.

Der Typ wusste nicht, wer wir waren, aber er hatte unsere Sweatshirts erkannt, sodass die Bullen unserer Schule am nächsten Tag mal wieder einen Besuch abstatteten.

Sie hatten eine brauchbare Beschreibung von dir, aber keinen Beweis. Vor allem weil der Typ nicht mal sagen konnte, ob du ein Junge oder ein Mädchen warst.

»Frechheit!«, hast du gemurmelt.

Aber eigentlich warst du voll zufrieden, weil das hieß, dass die Sache mit einer Belehrung abgegolten wurde, die du dir mit anderen blonden, blauäugigen Schülern nicht definierbaren Geschlechts anhören musstest.

Die Bullen haben es eine Weile ziemlich ernst genommen. Jedes Mal wenn wir auf dem Weg zur Schule oder nach Hause über die Brücke kamen, stand ein Polizeiauto darunter, und manchmal stand sogar noch ein Bulle auf der Brücke, wie ein »beknackter Troll«, meintest du.

Auch der Drachen gab sich alle Mühe. Wir mussten uns haufenweise langweilige Vorträge über Verkehrssicherheit anhören und genauso langweilige Videos über uns ergehen lassen.

Leserbriefe wurden geschrieben und Briefe an Parlamentsabgeordnete, und es gab Versprechen, dass man die Brücke sicher machen würde.

Und schon sind wir wieder auf der »Was wäre, wenn«-Schiene angelangt. Was wäre, wenn sie tatsächlich, wie versprochen, schon im April mit den Bauarbeiten begonnen hätten? Aber es gab irgendwelche Probleme wegen der Finanzierung oder was auch immer. Was wäre, wenn die Polizei ihre Patrouillen länger durchgeführt hätte? Aber sie hatten zu wenig Leute, und ich schätze, es gab genug andere Dinge, um die sie sich kümmern mussten. Was wäre, wenn Connor nicht deine Idee geklaut hätte … ?

»Connor ist gestern Abend auf dem Geländer über die Brücke«, teilte uns Liam Bradbury eines Morgens in der Schule mit.

»Netter Versuch, Liam«, hast du gesagt, und die erstaunten Ohs und Ahs der anderen verstummten schlagartig. »Aber so leicht verarschst du mich nicht! April, April.«

»Nix April, April«, winselte Liam. »Ehrlich. Er hat's echt gemacht. Auf dem Heimweg von der Kneipe.

Meine Schwester war dabei. Sie sagt, sie hätte total Schiss gehabt, weil er voll besoffen war.«

»Das muss man auch sein«, meinte Tracey, »um so was zu versuchen.«

»Quatsch«, hast du gesagt. »Ich hab's fast geschafft.«

»Hast du nicht«, sagte Liam. »Du hast nicht mal die Hälfte geschafft. Nicht mal ein Viertel!«

»Hätte ich aber, wenn nicht dieser Typ ...«

»Hättest du nicht«, sagte Tracey. »Du hättest aufgegeben.«

»Quatsch«, hast du wieder gesagt. »Das ist doch voll leicht, oder? Jeder könnte das. Das Geländer ist so breit oben, dass man sogar drüberlaufen könnte!«

»Ja klar«, sagte Liam. »Das will ich sehen, wie du das versuchst.«

»Okay«, hast du seelenruhig gesagt. »Wann?«

Und mir wird schon beim Gedanken daran ganz schlecht. Die Vorstellung, dass du versuchen wolltest, oben über das Brückengeländer zu laufen.

Aber du warst ganz zuversichtlich. Du hattest dein Leben lang an gefährlichen Orten gespielt, auf Baustellen, bist über Garagendächer gekrochen, hast im Kanal herumgeplantscht. Ich glaube, das Wort Gefahr hatte weder für dich noch für die übrigen Knallköpfe, die dich anstachelten, irgendeine Bedeutung.

Keiner hatte auch nur den geringsten Zweifel. Du würdest es tun. Wir vereinbarten den Tag, die Uhrzeit, alles. Schließlich war eine solche Aktion sinnlos ohne Publikum, ohne Zeugen.

Und war es wirklich deine Schuld, dass alles so schief gelaufen ist? War es deine Schuld, dass deine beiden bösen Stiefschwestern beide praktisch gleichzeitig ins Krankenhaus eingeliefert wurden?

Der Ärger fing damit an, dass sich ihre Mutter Anfang März plötzlich aus dem Staub gemacht hatte, ohne auch nur einen Brief zu hinterlassen. Barry hat sie trotzdem ziemlich schnell aufgespürt. Das war auch nicht schwer. Sie hatte sich bei ihrer Schwester oben in Glasgow verkrochen. Sie hätte einen »kleinen Nervenzusammenbruch« gehabt, meinte die Schwester, und würde erst einmal dort bleiben, bis sie sich wieder erholt hatte.

Also mussten die Horrorkids bei euch bleiben, wo sonst? Und das gefiel dir nicht. Überhaupt nicht. Aber den anderen ebenso wenig, außer dem kleinen Denzil vielleicht, der die meiste Zeit sowieso nicht wusste, wo er sich befand. Nicht einmal Barry wollte seine eklige Brut ständig um sich haben und das war deutlich zu merken. Jeden Tag hing er am Telefon, um seine Frau zu fragen, ob es ihr schon besser ging. Als ob ihn das interessiert hätte.

Er war nur daran interessiert, seine Kinder wieder loszuwerden, das müssen sie auch gespürt haben. Und das kann für sie nicht wirklich toll gewesen sein, oder? Klosett war schließlich erst dreizehn, auch wenn sie sich immer so nuttig anzog. Kaum älter als du. Und nachdem sie langsam weniger als fünfunddreißig Kilo wog, konnte sie jede Krankheit, die irgendwo in Umlauf war, umhauen. Es war also nicht überraschend, dass sie schließlich im Krankenhaus landete.

Der plötzliche Verlust ihrer Schwester, ihres Sprachrohrs, brachte die Tomate völlig durcheinander, und ihre Haut explodierte und geriet komplett außer Kontrolle. Ihr Gesicht war so rot und geschwollen und schuppig und fleckig, dass man kaum erkennen konnte, dass es überhaupt ein Gesicht war.

Und taten sie dir Leid? Keine Spur! Wenn überhaupt, warst du noch eifersüchtig auf die Zuwendung, die sie bekamen. Sauer, dass deine Mutter darauf bestand, drei- oder viermal pro Woche mit Barry ins Krankenhaus zu fahren, während sie dir den armen, verrückten kleinen Denzil überließen, der auf den Möbeln herumsprang und »Pups, Pups, Popo, Pipi« kreischte oder was gerade seine Lieblingswörter waren.

Die Psycho-Fritzen behaupteten später, dass all das zusammenhing. Deine Gefühle gegenüber deiner Stieffamilie. Dein Bedürfnis nach Selbstzerstörung. Dass dich all das nur noch mehr darin bestärkte, über das Brückengeländer zu gehen, auch wenn Klosett und die Tomate an jenem Samstagabend immer noch im Krankenhaus waren, was bedeutete, dass du um acht Uhr mit Denzil im Schlepptau an der Brücke auftauchen musstest.

Ein hyperaktiver Dreijähriger, der rumhüpfte und kreischte, während du auf das Geländer steigen wolltest. Mit voller Konzentration und Aufmerksamkeit. Die Augen geradeaus gerichtet. Nur ja kein Blick nach unten.

Nachdem du dich vergewissert hattest, dass keine Bullen oder Spaziergänger unterwegs waren, hast du Liam deine Anweisungen gegeben.

»Hinknien. Aber richtig! Zieh den Kopf ein.«

»Wrrrmmmmmm. Wrrrmmmm. Wrrruummmm.«

»Sorg dafür, dass er die Klappe hält!«, hast du Tracey zugebrüllt, während Denzil im Kreis rumrannte und Autogeräusche von sich gab.

Du warst oben, rittlings auf dem Geländer. Dann hast du einen Fuß hochgezogen und dich dabei fest mit den Händen abgestützt, um langsam zum Stehen zu kommen.

»Ta-tüü-tata, ta-tüü-tata.«

»Ich hab gesagt, er soll die Klappe halten!«, hast du geschrien, als Denzil sich kreischend ans Geländer klammerte und versuchte, daran zu rütteln.

Er konnte natürlich nichts bewegen. So schlecht war die Brücke dann auch wieder nicht gebaut. Aber schon allein der Gedanke daran, dass die Brücke wackeln könnte, war genug. Du hast den Fuß wieder runtergenommen.

»Ich kann's nicht«, hast du gesagt. »Nicht wenn er hier rummacht.«

Du hast deine Freunde herausfordernd angestarrt. Was stand auf ihren Gesichtern geschrieben, Alex? Erleichterung? Enttäuschung?

»Ich komm rüber«, sagtest du in einem verzweifelten Versuch, das Gesicht zu wahren. »Aber nicht im Stehen. Nicht heute. Aber ich rutsche rüber.«

Und das hast du auch getan. Die Hände vor dir. Ganz gleichmäßig hast du dich rübergearbeitet.

Stück für Stück bist du vorangerutscht, und alle haben gebetet, dass keiner der Autofahrer hochschauen würde. Dass die Bullen nicht ausgerechnet an diesem Abend hier Streife fuhren. Dass keine Fußgänger über die Brücke kommen würden. Dass Tracey es schaffen würde, Denzil lange genug einigermaßen ruhig zu halten. Dass du nicht fallen würdest.

Du bist nicht gefallen. Du hast es bis ganz auf die andere Seite geschafft. Hast dein Bein rübergeschwungen. Bist runtergesprungen. Hast mit den Fäusten in die Luft geboxt, hast dich von deinen Freunden umringen und dir gratulieren lassen. Aber es war dir nicht gut genug, Alex.

Denn das hatte schon jemand vor dir geschafft. Das wussten deine Freunde. Du wusstest es. Du hattest nur das getan, was Connor getan hatte. Und dass du erst elf, er dagegen schon neunzehn war, war auch kein Trost, oder? Und ich schätze, alle wussten, was in dir vorging. Dass du immer noch entschlossen warst, über das Geländer zu gehen. Und das hättest du vielleicht auch, wenn Denzil …

»Scheiße, das war mein Zeh!«

»'tschuldigung«, sagt der Riesenaffe, der mich gerade getreten hat, weil er nicht schnell genug aus dem Hörsaal kommen konnte.

»Schon okay«, sage ich und beuge mich vor, um meinen Fuß zu reiben. »Macht nichts.«

Und das meine ich ehrlich. Der Schmerz in meinem Zeh, das Knarren der Sitze, das Geraschel der Taschen, während die Leute nach draußen strömen, hat mich zurückgeholt von einem Abgrund, an dem ich lieber nicht stehen wollte.

Sogar der Anblick von Graham und Sarah, die sich mühsam aufrappeln, die Arme ungeschickt umeinander geschlungen, ist eine Erleichterung. Die Problemchen der Gegenwart sind nichts im Vergleich zu dem Ort, an dem ich eben war. Zu dem ich unterwegs war. Zu dem, was ich dort gesehen hätte.

Wenn ich mich beeile, kann ich draußen sein, bevor Graham und Sarah ihre Taschen nehmen. Morgen werde ich wieder okay sein. Ich werde sie sogar anlächeln und sie um ihre Vorlesungsnotizen bitten. Ich kann ja so tun, als wäre ich eingeschlafen oder so, ich hab nämlich nicht die geringste Ahnung, was in der letzten Stunde passiert ist.

Aber jetzt will ich erst mal nur raus. Nach Hause.

Es hat aufgehört zu regnen. Die Leute stehen in Gruppen auf dem Rasen und unterhalten sich. Der Lärm erschreckt mich ein bisschen, und im ersten Augenblick bin ich ganz desorientiert. Weiß nicht, ob ich nun links- oder rechtsrum gehen muss. Die Gebäude in diesem Teil des Colleges sind alle ziemlich neu und sehen so gleich aus, dass man sie leicht verwechseln kann, vor allem wenn man die letzte Stunde eigentlich ganz woanders verbracht hat.

»Alex! Halt. Wart auf uns!«

Ich fahre herum, Sarahs schrille Stimme klingt in meinen Ohren nach.

Ich starre direkt in ihr Gesicht. Und in Grahams Gesicht. Aber sie schauen nicht mich an. Sie schauen an mir vorbei. Zu jemandem, der gerade aus der Bibliothek kommt.

Alexander Fraser.

Ihm haben sie etwas zugerufen, nicht mir. Alex ist ja auch ein Jungenname. Alexander meinten sie. Nicht Alexina.

Wie hätten sie mich auch rufen können? Sie kennen mich ja gar nicht. Sie wissen nichts von Alexina. Sie kennen nur Josie.

Aber jetzt schauen sie mich an. Ich spüre, wie sich mein Mund öffnet und wieder schließt, während alles Blut aus meinem Gesicht weicht.

»Ich bin Josie!«, sage ich. »Ich bin Josie!«

»Äh, ich weiß«, sagt Graham.

Es scheint ihm peinlich zu sein. Als ob es hier um ihn ginge. Um ihn und Sarah. Um ihn und Josie. Um mich.

»Ihr meintet nicht mich«, sage ich kopfschüttelnd. »Ihr meintet Alex. Ich bin nicht Alex. Ich bin Josie. Ich bin Josie.«

Kapitel 9

Ich weiß nicht mehr, wie ich nach Hause gekommen bin. Genau wie sonst auch, schätze ich, aber ich kann mich weder an den Bus noch an den Zug erinnern. Ich erinnere mich nur noch daran, wie ich vom College weggerannt bin.

Warum ist die Tür abgeschlossen? Warum öffnet Moira nicht auf mein Klingeln? Sie hat heute die Weihnachtsdeko angebracht und die blinkenden Lichter über der Tür machen mich ganz wirr im Kopf. Komm schon, Moira. Mach auf.

Dann fällt es mir wieder ein. Zahnarzt. Sie ist mit Lara zum Zahnarzt gegangen, weil Lara Zahnärzte nicht mag und sie auf keinen Fall alleine hingeht.

»Ich lege den Schlüssel unter den lockeren Stein«, hatte Moira am Morgen zu mir gesagt.

Der lockere Stein in der seitlichen Mauer. Und tatsächlich, dort ist der Schlüssel. Aber ich kann ihn kaum halten, geschweige denn im Schloss umdrehen, weil meine Hände noch immer zittern.

Haben Graham und Sarah etwas gemerkt? Haben sie gesehen, dass ich auf den Namen reagiert habe? Oder haben sie gedacht, es sei Zufall, dass ich mich umgedreht habe? Vielleicht, wenn ich nicht immer wieder gesagt hätte:

»Ich bin Josie. Ich bin Josie.«

Ich weiß nicht, wie oft ich es wiederholt habe, bis ich schließlich zu mir kam und mich losgerissen hab. Warum hab ich das gesagt? Warum hab ich es immer wieder gesagt? Wen wollte ich damit überzeugen? Die beiden? Mich?

Die Tür ist offen, und im Flur steht ein riesiger Weihnachtsbaum, der heute Morgen noch nicht da war. Die Lichter sind aus, aber er glitzert vor Kugeln und Lametta. Moira hat sich viel Arbeit gemacht. Aber ich kann nicht stehen bleiben und ihn mir ansehen, selbst wenn ich es wollte, denn ich weiß, dass ich gleich kotzen werde.

Ich kotze nicht. Ich würge immer wieder, aber nichts kommt außer bitterer Galle, die mir hinten im Rachen sitzt. Ich überlege, ob ich mir die Zähne putzen soll, aber es scheint zu schwierig, zu viel Aufwand.

Ein Trimester. Ich hab nicht mal mein erstes Trimester überstanden, ohne einen Fehler zu machen. Was ist, wenn sie es rumerzählen? Was ist, wenn sie zwei und zwei zusammenzählen? Was ist, wenn sie sich an die alte Geschichte erinnern? Was ist, wenn sie die Verbindung herstellen? Was ist, wenn sie mich erkennen?

»Schau in den Spiegel, Josie. Schau in den Spiegel.«

Ich lausche der Stimme. Meine Stimme? Alex' Stimme? Josies Stimme? Ich zwinge mich, in den Badezimmerspiegel zu schauen.

Graue Augen starren mir entgegen, und man müsste schon sehr genau hinsehen, um die farbigen Linsen zu erkennen, die den wahren hellblauen Farbton verdecken. Lange dunkle Haare. Nicht blond und keine von den ausgefallenen Frisuren, die Alex immer hatte – der kurz geschorene Schädel oder der stachelige Bürstenschnitt. Oder die etwas längeren, etwas weiblicheren Haare für die Gerichtsverhandlung, in die man dir zu allem Überfluss noch ein paar süße kleine Haarspangen klemmte.

Mein Gesicht ist auch schmaler geworden. Eine der natürlichen Begleiterscheinungen des Älterwerdens und von weniger Chips und Süßigkeiten. Immer noch hübsch eigentlich, aber ich sehe nicht mehr wie ein blondes Engelchen aus.

Von Alex ist also nicht mehr viel übrig. Äußerlich jedenfalls. Nichts, was irgendjemand wiedererkennen könnte. Oder etwa doch?

Auch innerlich dürfte eigentlich nicht mehr viel übrig sein. Dafür sollten sieben Jahre Beratungsgespräche, Therapie, Erziehung, Haft, Tests und Analysen doch wohl gesorgt haben. Man hat dich auseinander genommen und wieder zusammengesetzt. Zu einem anderen Du. Zu einem besseren Du. Aber so einfach ist es nicht, oder?

Reinspülen. Ausspülen. Abspülen. Wie eine Haarfarbe. Ist das schon alles? Ist das alles, was sie gemacht haben? Bin ich innen drin immer noch du, Alex? Komme ich deswegen nicht von dir los?

Ich ziehe meinen Schuh aus und hämmere damit auf

den Spiegel ein, versuche, ihn zu zerschlagen. Aber er kriegt nicht einmal einen Knacks. Falscher Schuh. Falscher Spiegel. Wer weiß?

Mein Zimmer. In meinem Zimmer muss es etwas geben. Nichts auf meinem Frisiertisch oder auf den anderen Ablageflächen. Ich fange an, die Schubladen herauszuziehen und ihren Inhalt auf den Fußboden zu kippen. Nach der Sache mit den Nadeln hat Moira mit mir zusammen mein ganzes Zimmer abgesucht und alles weggeschmissen, was spitz oder sonst irgendwie gefährlich war. Sie hat sogar mein Parfüm aus Glas- in Plastikflaschen umgefüllt, sodass es jetzt ganz komisch und ranzig riecht. Aber irgendwo muss es etwas geben. Es muss einfach.

In der Küche brauche ich gar nicht erst zu suchen. Moira hält die Messerschublade verschlossen. Selbst so kleine Dinge wie Korkenzieher sind weggeschlossen. Sie weiß, wie erfinderisch ich sein kann, wenn ich es darauf anlege.

Dann fällt es mir wieder ein. Etwas, das ich beim Reinkommen gesehen habe.

Der meiste Weihnachtsbaumschmuck ist aus Plastik, aber die Kerzen und manche der Kugeln sind aus Glas. Vielleicht kein richtiges Glas. Ich weiß es nicht. Aber sie lassen sich mit bloßen Händen leicht zerdrücken und sind scharf. Ich fühle, wie sie mir in die Handflächen schneiden, bevor ich mich auf die unterste Stufe hocke, die kleinen Drahtstückchen herausnehme und meine Ärmel hochkremple.

»Es ist nicht zu glauben«, sagt Moira und platzt zur Haustür herein, die ich offen gelassen habe. »Lara hat den Zahnarzt gebissen! Sie hat ihn einfach gebissen. Stimmt's, Lara?«

»Es war aus Versehen«, protestiert Lara. »Ich hab nur den Mund zugemacht und seine Hand war noch da.«

Moira und Lara lachen beide, ich nehme also an, dass seine Verletzung nicht allzu schlimm war, aber sie hören auf zu lachen, sobald sie sehen, was ich mache. Lara bricht sogar in Tränen aus.

»Alles in Ordnung, Lara«, beruhigt Moira sie. »Es ist alles in Ordnung. Mach uns einfach schon mal einen schönen Tee, ja?«

Lara stolpert, immer noch weinend, in Richtung Küche, während sich Moira neben mich setzt und mir die glitzernde grüne Glasscherbe aus der Hand nimmt, bevor ich mir einen tiefen Schnitt damit zufügen kann.

»Oh Josie«, sagt sie.

»Ich bin doch gar nicht Josie, oder?«, höre ich mich selbst schreien. »Ich bin Alex. Ich werde immer Alex bleiben, verdammt.«

Dieser Schrei hallte noch tagelang in meinem Kopf nach. Nicht nur die Kerzen und die Kugeln waren zerbrochen. Ich war es auch. Ich konnte die letzten paar Tage vor den Ferien unmöglich zum College gehen. Ich war nicht einmal in der Lage, das Haus zu verlassen. Ich glaube, ich habe sogar Stunden gebraucht, um von dieser Treppenstufe aufzustehen.

Ich habe eine vage Erinnerung daran, dass Moira neben mir saß und mir die Splitter aus der Hand wusch. Wundsalbe auftrug. Die Verletzungen waren nicht allzu schlimm. Nicht für meine Verhältnisse. Moira rief den Arzt an, der die Dosis meiner Tabletten erhöhte – von denen, die mich ruhiger machen sollen. Aber vielleicht hat er sie zu stark erhöht, denn ich erinnere mich an nichts aus den folgenden Tagen. Ich meine, gar nichts. Außer dem Schrei.

Moira sagt, ich hätte die meiste Zeit geschlafen. Zuerst hat sie mich gelassen, aber dann hat sie langsam Angst bekommen und den Arzt gefragt, ob wir die Dosis nicht etwas zurückfahren könnten. Das schien Wirkung zu zeigen, und an Weihnachten ging es mir gut genug, dass ich Knallbonbons ziehen konnte und nicht allzu viel dagegen hatte, als Lara mir so ein dämliches Papphütchen aufsetzte.

Die meisten Studenten fahren Weihnachten nach Hause. Aber Lara und ich nicht. Wo sollten wir auch hin? Lara hatte wie gesagt den größten Teil ihres Lebens in irgendwelchen Heimen verbracht und ich ... na ja, ich hab seit dem Tag meiner Festnahme nichts mehr von meiner Mutter gehört.

Manchmal rede ich mir ein, dass sie mich gerne wiedersehen würde. Dass sie noch an mich denkt. Dass sie mich noch mag. Dass sie nur aus Angst vor Barry keinen Kontakt zu mir aufnimmt. Vor dem, was er ihr antun würde, wenn er sie dabei ertappte. Was er mir antun würde.

Aber ich weiß, dass das nicht stimmt. Sie will mich nicht sehen. Und wenn ich ganz, ganz ehrlich mit mir bin, dann kann ich es ihr nicht einmal verübeln.

Es ist also, wie es ist. Ich hatte keine Weihnachtsgeschenke erwartet und war total überrascht, als ich den kleinen Stapel unter dem Tannenbaum sah. Schokolade von Lara, Badeschaum von meiner Sozialarbeiterin und eine ganze Menge Zeug von Moira und Frank. Nichts Großes oder Teures, aber genug, um mir die Tränen in die Augen zu treiben.

»Jesus mag nicht, dass du an seinem Geburtstag traurig bist«, informierte Lara mich.

Also versuchte ich, mich zusammenzureißen. Mehr ihr zuliebe als wegen Jesus natürlich.

Moira ließ alles ein bisschen langsam angehen über Weihnachten. Ich schätze, sie hat schon genug »Spezialfälle« gehabt, um zu wissen, dass Weihnachten manchmal eher kritisch sein kann. Vor allem wenn man die letzten sieben Weihnachten in einer Jugendstrafanstalt verbracht hat.

Aber ich will hier gar nicht die Mitleidsnummer abziehen. Das haben sie mir im Jugendknast schon eingehämmert. Mach nie die Umstände verantwortlich. Mach nie andere verantwortlich. Übernimm selbst die Verantwortung. Steh zu dem, was du getan hast.

Tja, ich dachte, das könnte ich. *Sie* dachten, das könnte ich, sonst hätten sie mich schließlich nicht rausgelassen, oder? Aber ich bin mir da nicht mehr so sicher.

Offenbar habe ich Moira irgendwann in den ersten

Tagen zwischen meinen langen Schlafphasen erzählt, weshalb ich ausgetickt bin. Ich kann mich nicht daran erinnern, aber sie hat einen ungefähren Überblick über die Lage, also muss ich es wohl getan haben.

Später, nachdem wir die ganze Frohe-Weihnachten-Feierei hinter uns gebracht hatten, kam sie darauf zurück, um mich auf meine Rückkehr ans College vorzubereiten. Moira ist ganz zuversichtlich, dass ich wieder hingehen kann. Sie sagt, sie ist hundert Prozent sicher, dass Graham und Sarah nichts gecheckt haben. Dass sie bloß denken, ich wäre durchgedreht, weil ich sie beide zusammen gesehen habe. Das Einzige, was mich zurückhält, ist also meine eigene Angst, meint Moira.

Deswegen geht sie mit mir in Gedanken in den Hörsaal zurück. Ich sehe, wie du dich in Mr Phinn verwandelst. Ich sehe wieder das Bild der Brücke auf der Leinwand. Ich gleite zurück in die Vergangenheit und stoppe immer vor dem entscheidenden Moment.

Und auch im Gespräch mit Moira stocke ich. Ich könnte das kleine Stückchen weiter nicht gehen. Ich könnte einfach nicht über das reden, was du getan hast. *Du*. Da siehst du's wieder. Ich löse mich von mir. Es ist einfach alles so verwirrend. Ich sollte mich dem stellen, was d… – was ich getan habe. Aber ich soll mich auch weiterentwickeln. Und ich sein, nicht sie. Josie, nicht Alex. Es ist doch kein Wunder, dass mich das verrückt macht.

»Du bist nicht verrückt, Josie«, sagt Moira, als würde sie es wirklich glauben.

»Und warum muss ich dann jeden Monat zur Irrenärztin?«

»Zur Psychotherapeutin, nicht zur Irrenärztin«, be-
lehrt sie mich. »Und das soll dir nur helfen, weiterzu-
kommen. Auf dem richtigen Weg zu bleiben.«

Der richtige Weg! Ich bin gerade verdammt heftig
vom richtigen Weg abgekommen, und trotzdem erwartet man von mir, dass ich ans College zurückgehe, als sei
nichts passiert.

Es gab eine Fall-Besprechung gleich nach Neujahr, zu
der ich nicht eingeladen war. Eine von meinen regelmäßigen Sitzungen war wegen der ganzen Sache vorver-
legt worden. Und alle sind ganz zuversichtlich, dass ich
keine der Auflagen verletzt habe, die an meine Entlassung geknüpft waren. Dass ich keine Gefahr für irgend-
jemanden darstelle, außer vielleicht für mich selbst.

Das Problem ist, dass ich mich rückwärts statt vor-
wärts bewege, glaube ich. Zurück zu der Zeit gleich
nach meiner Verhaftung, als ich den Dingen überhaupt
nicht ins Gesicht sehen konnte.

»Ich hab's nicht getan«, wiederholte ich immer wieder. »Ich hab's nicht getan. Ich war's nicht.«

Nicht gerade eine überzeugende Verteidigung mit
mindestens einem Dutzend Zeugen. Aber es war tatsächlich so, dass ich es glaubte. Ich glaubte wirklich daran.

»Selbsttäuschung«, nannte es der Psychologe.

Und als ich endlich Boden unter die Füße kriegte und
sagen konnte, was ich wirklich meinte, dachten sie,
auch das wäre Selbsttäuschung.

»Ich *wollte* das nicht. Ich wollte das nicht tun. Ich wollte es nicht. Es war ein Unfall.«

War es das wirklich? War es so, Alex?

Die Geschworenen waren anderer Meinung.

Drei Jahre später in der Jugendstrafanstalt beschlossen wir, dass die Jury Recht hatte. Und das war der »Wendepunkt«. Das war es, was die Leute dort hören wollten. Sie waren so zufrieden mit mir, dass es kein Zurück mehr gab. Nicht einmal, als sie mich zwangen, alles noch einmal durchzugehen. Immer und immer wieder haben wir in der »Therapie« jede einzelne Sekunde analysiert, als würde ich es alles noch einmal tun.

Was für ein Gefühl das war, als ich es nicht geschafft hatte, über die Brücke zu gehen. Als alle meine Freunde mich anstarrten und ihre kleinen Münder offen standen vor Enttäuschung. Enttäuschung, dass ich nur rübergerutscht war. Damit hatte ich geschafft, was keiner von ihnen in einer Million Jahren geschafft hätte! Und da schauen sie mich an, als wäre das nichts.

»Und wie hast du dich dann gefühlt?«

»Wütend.«

Ich habe Jahre gebraucht, dieses Wort auszusprechen.

»Und auf wen warst du wütend?«

»Denzil.«

Das Wort schlüpfte mir aus dem Mund, bevor ich es zurückhalten konnte.

Ich war wütend auf Denzil, weil sein Gebrabbel mich

aus der Ruhe gebracht hatte. Hatte es das wirklich? Oder wusste ich, sobald ich den Fuß auf das Geländer gestellt hatte, sobald ich versucht hatte, aufzustehen, dass ich es nicht tun würde? Lange bevor Denzil mit seinem »Wrmmm, wrmmm« anfing?

Wusste ich schon, als ich wieder raufstieg nach meiner Rutschpartie, dass es nur Angeberei war? War ich insgeheim froh, als Denzil wieder anfing? Und wie froh ich war.

»Ich will! Ich will, Alex! Will auch probieren!«, kreischte Denzil.

»Von mir aus«, sagte ich und sprang runter. »Dann probier du es, wenn du mich schon nicht lässt! Mal sehen, ob du dich traust!«

Ich hob ihn hoch und setzte ihn auf das Geländer. Das ist alles, was ich vorhatte. Ich wollte ihn dort nur ein oder zwei Sekunden sitzen lassen. Und ihn dabei festhalten.

»Du musst doch gewusst haben, wie gefährlich das war!«

Sämtliche Stimmen, die mir das im Laufe der Jahre gesagt haben, schreien es mir entgegen, und ich halte mir die Ohren zu.

Aber jetzt bin ich fast da. Jetzt werde ich nicht mehr stoppen.

»Ich wusste es nicht!«, höre ich mich zurückschreien. »Ich hab nicht drüber nachgedacht! Ich hab ihn doch festgehalten! Ich hab ihn gehalten!«

Aber irgendwie war das Geländer höher, als ich gedacht hatte, und Denzil schwerer. Es war nicht so einfach, ihn dort hochzubugsieren, und ich erinnere mich noch an den plötzlichen Stoß in meiner Brust, als ich dachte, ich könnte ihn nicht halten. Aber ich hab nicht losgelassen. Ich hab mich gestreckt und ihn fester gepackt. Ich hätte ihn nicht losgelassen. Bestimmt nicht. Nicht wenn er still gehalten hätte.

»Wrmmm, wrmmm«, fing er wieder an, als säße er auf einem Motorrad oder so. »Wrmmm. Wrmmm.«

»Nimm ihn runter, Alex«, hauchte jemand, als Denzil anfing zu schwanken.

Er schwankte absichtlich! Als hätte er keine Ahnung, wo er sich wirklich befand. Wie hoch oben er war.

»Nimm ihn runter, Alex!«

Warum ich? Warum haben die anderen nicht geholfen? Warum haben sie nichts getan? Vielleicht weil sie schon die Sirene aus der Ferne gehört hatten.

»Tatüü-tata, tatüü-tata!«, kreischte Denzil und trat um sich, als ich versuchte, ihn am Bein runterzuziehen.

»Halt still, du blöder …«

Ich hab ihn angeschnauzt. Klar hab ich ihn angeschnauzt. Ein Schwall von Worten kam aus meinem Mund geschossen. Aber nicht aus Wut. Ich schwöre, es war keine Wut, die ich da ausspuckte. Es war Angst. Ich spürte, wie mir der Stoff seiner Jeans durch die Hände rutschte, und ich wusste, dass ich nicht mehr seinen Körper festhielt.

Sie haben behauptet, ich hätte ihn gestoßen! Vor lauter Panik, als die Polizei in Sichtweite kam, hätte ich ihn von der Brücke auf die befahrene Straße gestoßen und versucht wegzurennen.

Hast du das getan, Alex? War es so, wie sie gesagt haben? Richtete sich die ganze Wut, die sich all die Jahre in dir aufgestaut hat, plötzlich gegen Denzil und entlud sich in diesem einen endgültigen Stoß? War es vielleicht noch schlimmer? So schlimm, wie die Staatsanwaltschaft behauptet hat? War es Vorsatz? Hast du Denzil absichtlich auf die Brücke mitgenommen? Könntest du es geplant haben, wie du zuvor die Wurm-Sandwiches, den Ziegelstein und die Paintball-Attacke geplant hattest? Als wahnsinnigen Racheakt?

Das könntest du. Du weißt, dass du es könntest. Es ist dir zuzutrauen, dass du es geplant und später verdrängt hast. So wie man es dir vorgeworfen hat.

Oder sollte ich dir glauben? Dieser erbärmlich jammernden Stimme, die mir immer wieder zuruft.

»Es war ein Unfall, Josie. Ich wollte das nicht. Wirklich nicht. Nicht Denzil. Er war doch noch so klein. Ein Baby! Das hätte ich nie getan. Nicht mit Absicht. Es war ein Unfall.«

»Du kannst dich nicht verstecken, Alex«, höre ich mich selbst sagen. »Versuche nicht, dich hinter mir zu verstecken! Ich werde dich nicht beschützen. Ich weiß, was du getan hast. Und ich hasse dich, Alex. Kannst du mich hören? Ich hasse dich.«

Ich höre mich noch immer schreien, während meine Hände in mein Gesicht fahren, nach unten ziehen, die Nägel mir die Haut aufreißen.

Kapitel 10

Diesmal findet mich Moira nicht schnell genug. Mein Gesicht sieht schlimm aus. Grund genug, morgen nicht zum College zu gehen.

Zuerst glaubt sie, es hätte damit zu tun, dass ich Graham und Sarah nicht begegnen will. Bis ich ihr sage, wo ich gewesen bin.

Nicht nur auf der Brücke, wo mir Denzil aus den Händen rutscht. Sondern weiter. Viel weiter.

Ich höre die Hupen, die Schreie, die Bremsen, das Grauen erregende Krachen von Metall auf Metall, die Sirenen. Ich versuche zu rennen, aber ich komme nicht weit, weil die Polizei schon da ist. Sie war schon unterwegs, noch bevor ich Denzil auf das Geländer gehoben hatte. Ein vorbeifahrender Motorradfahrer hatte sie alarmiert, weil wieder »Kinder auf der Brücke rummachten«.

Als sie mich wegführen, habe ich das Gefühl, mich außerhalb meines Körpers zu befinden. So als hätte das alles nichts mit mir zu tun. Weder die Krankenwagen noch die Feuerwehrautos noch die Dutzende von Polizeiautos noch Denzils zerschmetterter, platt gefahrener Körper oder das sonstige Blutbad unter der Brücke.

Ich wusste nicht und wollte nicht wissen, wie schlimm es war. Ich wollte es tagelang, wochenlang, monate-, ja sogar jahrelang nicht wirklich begreifen.

Das ist es, was letztendlich den Europäischen Gerichtshof für Menschenrechte auf meine Seite brachte. Die sagten, ich wüsste gar nicht, worum es bei meiner Gerichtsverhandlung eigentlich ging. Und da hatten sie Recht.

Mittlerweile hat man die Bestimmungen für Gerichtsverfahren gegen Minderjährige geändert. Man hat versucht, sie kinderfreundlicher zu gestalten. Die Kinder können ihre Aussage auf Video machen anstatt im Gerichtssaal und die Richter tragen normale Kleidung.

Aber es waren überhaupt nicht die Perücken und die seltsamen Gewänder, die mir so zugesetzt haben. Es war das, was sie sagten. Was sie von mir hören wollten. Was ich einsehen sollte.

Die Zahlen waren ohne Bedeutung. Neun Autos und ein Lastwagen waren an dem Auffahrunfall beteiligt. Neun Personen kamen mit leichten Verletzungen ins Krankenhaus. Weitere vier mit ernsthaften Verletzungen, von denen einer später im Krankenhaus starb. Dazu kamen noch die drei, die an der Unfallstelle gestorben waren. Macht insgesamt vier Todesopfer.

Todesopfer. Ich glaube, schon die Polizisten haben dieses Wort gebraucht, als sie mich verhörten, und auch später bei der Gerichtsverhandlung, aber ich habe es nicht verstanden. Nicht einmal, als man es mir förmlich buchstabiert hat.

Vier Menschen mussten sterben durch das, was ich getan hatte.

Es war schrecklich genug. Ich war das Mädchen, das man anklagte, ihren dreijährigen Stiefbruder von einer Brücke in den Tod gestoßen zu haben. Und damit den Tod dreier weiterer Menschen verursacht zu haben.

Aber das wirklich Furchtbare war der Staatsanwaltschaft zufolge, dass ich keinerlei Reue zeigte. Kein Mitgefühl für die Opfer. Nur für mich selbst.

Wie hätte ich es ihnen sagen sollen? Wie erklären? Ich hatte damals nicht die Worte dafür, und ich bin nicht sicher, ob ich sie jetzt habe. Worte, mit denen ich die Abschottung nach außen, die Lähmung beschreiben könnte, die mich erfasste und alle Gedanken, alle Gefühle einfror. Ich konnte es nicht begreifen. Ich wollte es nicht begreifen. Ich war es nicht. Ich konnte das niemandem angetan haben. Nicht Denzil und nicht diesen anderen Menschen. Es konnte nicht sein.

Selbst als die Geschworenen ihr Urteil verkündeten: schuldig des Mordes in einem Fall und des Totschlags in drei Fällen, war es, als wäre von jemand anderem, irgendwo anders die Rede.

»Ich versuche gar nicht, mich zu entschuldigen«, sage ich zu Moira in einem unbeholfenen Erklärungsversuch.

Sie nickt. Sie weiß, dass ich es jetzt begreife, das Entsetzliche begreife, das ich getan habe. Die Leben, die ich zerstört habe. Sie weiß, dass das der Grund ist, warum ich mich zerkratze und schneide.

Das Ritzen und Nadelstechen hat in der Jugendstrafanstalt angefangen. Es wurde immer schlimmer und
schlimmer, je näher ich die Sachen an mich rangelassen
habe, nachdem ich anfing, über die Menschen nachzudenken, die sterben mussten. Das alte Pärchen, das auf
dem Weg in den ersten Urlaub im Ruhestand war und
es nie bis zum Flughafen geschafft hat. Der Polizist, der
gerade keinen Dienst hatte und der im Krankenhaus
starb. Seine Kollegen haben von seinem Tod erfahren,
während sie mich noch in der Untersuchungshaft verhörten. Und Denzil natürlich.

Denzil war der Grund, warum mein Name vor Gericht
fiel. Zu Beginn der Verhandlung hieß ich nur »Kind X«
zu meinem Schutz, weil ich minderjährig war. Ein Kind,
das »nach den gesetzlichen Bestimmungen nicht na-
mentlich genannt« werden konnte. Aber das ließ Barry
sich nicht gefallen. Er platzte aus dem Gerichtssaal und
wedelte mit meinem Foto vor den wartenden Fernseh-
kameras herum. Rief meinen Namen und schwor, er
würde mich umbringen.

Er wurde festgenommen, aber nie verurteilt. Und sobald sie ihn freigelassen hatten, fing er wieder damit
an. Hat es überall rumerzählt und die öffentliche Meinung aufgepeitscht bis hin zur Wut, Hysterie. Es war
also sinnlos, meinen Namen nicht zu nennen.

Barry hat gegen alle Regeln verstoßen, aber man hat
es ihm durchgehen lassen, vermutlich weil er das Mitgefühl der Öffentlichkeit hatte. Er und seine Frau, Klosett und die Tomate wieder vereint als Familie. Verbun-

den in der Trauer. Nach meiner Verurteilung haben sie den Zeitungen ihre Geschichten erzählt. So wurde aus meiner Mutter das Flittchen, das ihn weggelockt hatte. Ich war die verrückte, gefährliche Teufelin, die ihren Sohn ermordet hatte. Und Barry der trauernde Scheiß-Held. Er schaffte es sogar, Klosetts Essstörung und die Sprach- und Hautprobleme der Tomate auf die Sache mit Denzil zurückzuführen. Der verdammte Lügner!

Aber viele glaubten ihm. Und das Schlimmste an der ganzen Verhandlung waren nicht die Fragen oder der Gerichtssaal. Es war der tägliche Weg dorthin hinten in diesem Polizeitransporter, mit Handschellen an einen Bullen gefesselt, und zu hören, wie die Steine und andere Wurfgeschosse gegen die Seite des Wagens krachten. Zu hören, wie sie schrien: »Mörderin! Mörderin!«

Vielleicht hatten sie ja Recht. Vielleicht hatte ich das verdient, nach dem, was ich getan hatte. Aber ich war elf Jahre alt. Elf. Und saß heulend und schluchzend dort hinten in dem Wagen.

Das hat keiner gesehen. Aber sie sahen Klosett und die Tomate, die würdig in Schwarz gekleidet waren. Sie sahen Barry und seine Tränen. Das sind die Tränen, an die sich die Leute erinnern. Und sie haben immer noch eine Menge Mitgefühl mit ihm. Jedenfalls hatte er ziemliche Unterstützung bei seinen jüngsten Bemühungen, mich weiter weggesperrt zu halten. Er wollte, dass ich in ein Gefängnis für Erwachsene überführt werde, wenn ich achtzehn bin. Und es gab einen gellenden öffentlichen Aufschrei, als ich freigelassen wurde.

In mancher Beziehung urteilen die Leute über kriminelle Kinder härter als über Erwachsene. Sie haben so romantische Vorstellungen von kindlicher Unschuld, vermute ich. Und dann macht es ihnen Angst, wirklich Angst, wenn ein Kind etwas Schlimmes tut. Es ist wider die Natur. Das wollen sie verstecken. Einsperren.

Seltsamerweise scheinen sie nicht zu merken, dass Barry viel durchgeknallter ist, als ich es je war. Dass seine Drohungen wirklich ernst gemeint sind. Gegen mich. Gegen meine Mutter, wo immer sie sein mag.

Wer immer sie jetzt sein mag.

Mum hätte wohl in jedem Fall ihren Namen ändern und wegziehen müssen. Einen Neuanfang versuchen. Dass Barry sie einen Tag nach meiner Festnahme zusammengeschlagen hat, hat die Sache sozusagen besiegelt.

Auch damit ist er durchgekommen. Weil Mum nicht mal verraten wollte, wer es war. Wahrscheinlich hatte sie Angst, er würde ihr Schlimmeres antun, wenn sie es sagte. Oder vielleicht liebte sie ihn irgendwie noch immer. Aber darüber kann ich gar nicht nachdenken, weil mir dann schlecht wird. Absolut übel.

Aber nicht so übel, wie wenn ich darüber nachdenke, ob sie auch mich irgendwie noch immer liebt.

Oder sollte ich sagen, dich? Denn mich kennt sie ja gar nicht. Sie kennt Josie überhaupt nicht. Und will sie auch gar nicht kennen. Das hat sie mehr als deutlich gezeigt.

Ich habe ihr aus der Anstalt Briefe geschrieben. Briefe, die die Angestellten wohl an sie weitergeleitet haben. Briefe, die ungeöffnet zurückkamen.

Moira gibt mir ein Taschentuch für die Tränen, die ich nicht einmal bemerke, bis sie auf meine Kratzer tropfen und anfangen zu brennen.

Sie sagt, das sei ganz normal. Normal! Dass es immer wieder Zeiten geben wird, wo ich das alles noch einmal durchleben muss.

»Und jedes Mal wirst du dich etwas weiter davon entfernen können«, meint sie.

Vielleicht hat Moira Recht. Vielleicht hat es geholfen, diese Hölle noch einmal zu durchleben. Oder vielleicht hat Moira geholfen ... wieder einmal. Ich weiß nicht, wie viel sie ihr zahlen dafür, dass sie sich um Lara und mich kümmert, aber egal wie viel es ist, es ist nicht genug.

Sie hatte eine echt fiese Erkältung, und ich weiß, dass sie nach Weihnachten ziemlich kaputt war, aber das konnte sie nicht hindern. Stundenlang hat sie alles mit mir besprochen. Anfang des Jahres, als ich noch nicht wieder zum College gehen konnte, hat sie dafür gesorgt, dass ich mich auf mich konzentriere, auf Josie.

Die ersten paar Tage konnte ich es nicht. Ich konnte mich nicht so weit nach vorne bringen, sondern steckte irgendwo in der nahen Vergangenheit fest, im Gefängnis, wo ich weder Josie noch Alex war.

Da drin war ich Gemma. Kein Name, der mir gefiel. Er ist zwar eigentlich ganz nett, aber er schien nie so recht zu mir zu gehören, und ich hab nicht verstanden, warum ich nicht einfach Alex bleiben konnte. Bis sie mir erklärten, dass es zu meinem Schutz sei. Schutz vor den anderen Mädchen in erster Linie. Die waren zwar auch nicht gerade Heilige. Sie hatten geraubt, überfallen, misshandelt, ja sogar gemordet. Aber selbst für sie gab es Grenzen. Und diese Grenze war Mord an kleinen Kindern.

Also ging Gemma dort zur Schule mit nur vier anderen Schülerinnen und zwei Lehrern. Die ruhige, verängstigte kleine Gemma, die alleine saß und alles tat, was von ihr verlangt wurde. Und gut dabei vorankam. Und sich als ziemlich schlau erwies, die kleine Gemma. Die sich hinter einem Namen versteckte und Alex nur nachts hervorließ, um ihr im Dunkeln etwas zuzuflüstern. Oder die plötzlich die Kontrolle verlor und Alex wild und wahnsinnig hervorbrechen ließ, während der Therapie. Gemma und Alex kämpften um die Kontrolle.

Moira findet es seltsam, dass ich über Alex, Gemma und Josie spreche, als wären es drei verschiedene Personen. Sie versucht, es sich nicht anmerken zu lassen, aber ich weiß, dass sie es ein bisschen unheimlich findet.

Aber so ist es nun mal für mich. Und vielleicht bin ich deswegen mehr als nur ein bisschen verrückt, doch die Psychiaterin behauptet steif und fest, ich sei nicht schizophren und hätte keine multiple Persönlichkeit. Also keine psychische Störung, die man irgendwie benennen könnte.

»Wir haben alle mehrere Seiten unseres Charakters«, erklärt sie mir. »Du gibst deinen nur verschiedene Namen.«

Na, dann ist ja alles in Ordnung, oder?

Aber sie sollte mal versuchen, in der Kampfzone zu leben, in die sich mein Kopf manchmal verwandelt. Sie sollte versuchen, Gemma am Ritzen und Schneiden oder Alex überhaupt am Erscheinen zu hindern. Oder sie sollte versuchen, einfach Josie zu sein. Wer immer die ist.

Josie ist okay, meint Moira. Josie ist die Person, die sich schon in der Jugendstrafanstalt herausgebildet hat, obwohl sie da noch gar keinen Namen hatte. Sie ist nicht perfekt. Sie wird manchmal immer noch wütend, aber sie kann mit ihrer Wut umgehen. Sie bekommt immer noch Angst, aber auch das hat sie mit ein wenig Hilfe ganz gut im Griff. Sie ist keine Überfliegerin, aber sie ist schlau genug, um alles gut auf die Reihe zu bringen.

Und ehe ich weiß, wie sie es angestellt hat, hat mich Moira so weit, dass ich wieder an die Zukunft denke. An mich. An meine Ziele.

Ich will Tierpflegerin im Zoo werden, wenn ich mit dem College fertig bin. Dabei war ich noch nie in meinem Leben in einem Zoo. Kaum zu glauben, oder? Wir haben nicht gerade viele nette Familienausflüge gemacht, als ich ein Kind war. Und später in der Anstalt, wenn ich Freigang hatte, war ich mehr mit praktischen Dingen wie Einkaufen oder so beschäftigt. Ganz einfache Tätigkeiten, die mich daran gewöhnen sollten, wieder draußen zu sein.

Wenn ich mit dem College weitermache, werde ich solche Ausflüge nächstes Jahr machen können. Sogar ein Praktikum. Das wird toll, denn ich kann mir mich als Tierpflegerin wirklich gut vorstellen. Ich bin gerne draußen und ein bisschen Mist macht mir nichts aus. Die süße Sarah könnte ich mir kaum in Gummistiefeln knietief im Elefantenmist vorstellen, aber mich würde das nicht stören. Das ist der Alex-Anteil in mir, nehme ich an. Die Jungenhafte, die sich kreischend vor Lachen auf einem schlammigen Fußballplatz rumgewälzt hat. Eine der wenigen Seiten von Alex, mit denen ich ganz gerne lebe.

Und es wäre mir auch ziemlich egal, mit was für Tieren ich arbeiten sollte. Im Zentrum für Tiertherapie bin ich eigentlich mit allen Tieren gut zurechtgekommen, nicht nur mit den kuscheligen. Ich war die Einzige, die bei den Gespenstschrecken sauber gemacht oder die Frösche eingefangen hat, wenn sie abgehauen waren.

Aber am meisten faszinieren mich die Menschenaffen. Wir hatten im Tierzentrum natürlich keine Schimpansen oder Gorillas, aber ich hab viel gelesen und Videos über sie gesehen. Ein Dokumentarfilm von David Attenborough über Berggorillas hat mich zuerst darauf gebracht. Er kommt da drin ganz nah an ein Silberrücken-Männchen ran. Das könnte ich mir immer und immer wieder ansehen.

Sie sehen so menschlich aus. Diese Gorillas. Und natürlich leben solche Tiere am besten in freier Wildbahn. Aber das Problem ist, dass man sie dort nicht in Frieden lässt. Ihre natürlichen Lebensräume werden immer weiter zerstört, und das regt mich wirklich auf.

Aber Moira sagt, es ist okay, seinen Ärger auf bestimmte Themen zu richten anstatt auf persönlichere Dinge.

Alex wären Umweltverschmutzung und -zerstörung ziemlich egal gewesen, sie hätte nicht einmal davon gewusst. Gemma hatte eine Phase, in der sie Zoos ablehnte, weil sie es grausam fand, die Tiere eingesperrt zu halten. Aber dann hat einer der Lehrer ihr Interesse für die Arterhaltungs- und Zuchtprogramme geweckt, die es in Zoos gibt, und das war's dann. Sie hatte angebissen. Ich hatte angebissen.

Meine Lehrer am College warnen mich, dass es in den Zoos nicht genügend Jobs gibt. Dass es hunderte von Bewerbern auf jede freie Stelle gibt. Aber ich bin fest entschlossen, das zu machen. Ich erzähle es Moira.

»Ich würde wirklich alles tun, um in einem Zoo arbeiten zu können«, erkläre ich ihr.

Dieses »Alles« bedeutet, auch wieder ans College zu gehen und die Prüfungen abzulegen. Und Moira hat mir versprochen, dass wir, wenn das Wetter besser wird, einen Ausflug in den Zoo machen. Sie und ich und Lara, weil die Tiere auch gern hat.

Also muss ich wohl aufs College zurück. Ich habe schon zwei Wochen verpasst, aber die Kratzer in meinem Gesicht sind fast verheilt, und mit ein bisschen Make-up sind sie kaum noch zu sehen. Ich habe also keine Ausrede mehr.

Aber irgendwie ist mir ein bisschen unheimlich bei dem Gedanken, wieder hinzugehen. Eigentlich nicht wegen der Lernerei, weil ich auch zu Hause was getan habe. Aber weil ich dann die Leute alle wieder treffe.

Dank Moiras Anruf glauben alle, ich hätte die Grippe gehabt, die momentan kursiert. Also wird es vielleicht gar nicht so schwierig. Und was Graham und Sarah betrifft ... da hat Moira mich schon fast überzeugt, dass sie eigentlich gar nichts gemerkt haben können. Dass sie zwei Tage vor den Ferien keinen weiteren Gedanken an meinen Gefühlsausbruch verschwendet haben.

»Josie?«

Das Flüstern ist so leise, dass ich es zunächst wieder für eine Stimme in meinem Kopf halte, bis Lara hinter der Tür erscheint.

»Ich hab Brot«, sagt sie und schwenkt eine Plastiktüte. »Willst du mitkommen und mit mir die Enten füttern?«

Ich will schon den Kopf schütteln. Sie fragt mich immer, aber ich gehe nie mit. Ich mag den Park nicht. Oder vielmehr, wenn ich ehrlich bin, ich mag die Brücke nicht, über die man gehen muss, um dorthin zu kommen. Ich gehe immer noch meilenweite Umwege, nur um eine Brücke zu vermeiden.

»Bitte«, sagt Lara. »Es wird schon dunkel und Moira sagt, ich soll nicht allein gehen. Und wenn ich nicht gehe, haben die Enten Hunger.«

»Okay«, sage ich, obwohl ich genau weiß, dass diese Enten niemals Hunger haben. Die werden bestimmt von hunderten von Leuten gefüttert.

So eine große Reaktion auf so ein kleines Wort! Laras

Gesicht leuchtet förmlich auf vor Dankbarkeit, und sie läuft los, um meinen Mantel zu holen.

Es hat sich also gelohnt. Lara ist glücklich. Die Enten werden auch glücklich sein, schätze ich. Und wenn ich mich nicht über die Brücke traue, was soll's ... Dann können wir immer noch außen rumgehen.

Und wir gehen außen rum, und es ist so nervig wie immer, wenn man mit Lara unterwegs ist, weil die Leute sie anstarren. Am Anfang hat es mich ganz verrückt gemacht, weil ich immer dachte, sie starren mich an, weil sie mich erkennen, weil sie Bescheid wissen. Dann wurde mir langsam klar, dass es gar nicht dieses lange, zögernde »Kenne ich die nicht irgendwoher«-Starren war.

Es war ein kurzes, flüchtiges »Oje, wir sollten nicht gucken – schau lieber weg«-Starren. Ein »Oh, die Arme«-Starren. Und ich könnte sie jedes Mal zusammenschlagen.

Das tue ich natürlich nicht, weil meine antrainierte Selbstkontrolle einsetzt. Ich hake mich bei Lara ein und wir gehen brottütenschwenkend die Straße runter.

»Warum tust du dir selbst weh?«, fragt sie plötzlich und zerstört damit die Illusion, alles wäre in schönster Ordnung.

Es ist das erste Mal, dass Lara etwas über mein Ritzen und Schneiden sagt. Sie hat es mitgekriegt, es hat sie erschüttert, aber sie hat noch nie darüber gesprochen. Und ich weiß nicht, was ich sagen soll. Ich will sie nicht anfahren, ich will sie nicht anlügen, ich will sie nicht aufregen. Und dann bleiben nicht viele Möglichkeiten.

»Du sollst dir nicht wehtun«, sagt sie, als sie nicht länger auf eine Antwort warten mag.

»Nein«, stimme ich ihr zu.

»Du tust es nicht wieder, oder?«, fragt sie.

»Ich hoffe nicht«, ist alles, was ich über die Lippen bringe.

Kapitel 11

Schon komisch, wie einen die Zeit austrickst. Dieses Trimester scheint viel schneller vergangen zu sein als das letzte. Vielleicht weil ich später angefangen habe und Ostern dieses Jahr ziemlich früh liegt. Vielleicht aber auch nur, weil es mir richtig echt Spaß macht. Die Tage scheinen nicht länger als fünf Stunden zu dauern, während sie im Jugendgefängnis immer mindestens fünfzig zu haben schienen!

Aber an all das denke ich eigentlich gar nicht. Ich komme jetzt wirklich voran.

Alle waren total nett, als ich wiedergekommen bin, und haben sich fast überschlagen, um mich auch mit jeder Kleinigkeit zu versorgen, die ich verpasst hatte.

Manche Leute waren schon fast zu nett. Die süße Sarah zum Beispiel. Sie und Graham sind immer noch zusammen, und ich schätze, sie hat vielleicht ein bisschen ein schlechtes Gewissen. Oder vielleicht weiß sie gar nicht, dass er sich mit mir verabredet hatte. Vielleicht will sie einfach nur freundlich sein und ein paar neue Kontakte knüpfen.

Ich vergesse nämlich leicht, dass das erste Trimester für die ganz normalen Leute wahrscheinlich genauso schwer war wie für mich. Wir kannten uns alle nicht. Waren alle neu, alle nervös. Es könnte also sein, dass sogar bekennende Extrovertierte wie Sarah innerlich ein bisschen zittrig und unsicher waren.

Inzwischen ist sie allerdings verdammt selbstsicher geworden. Sarah steht sozusagen im Zentrum der Aufmerksamkeit. Sie ist diejenige, die organisiert, dass alle zusammen zum Bowling oder ins Kino gehen oder eine Pizza essen. Oder was auch immer. Und sie ist niemand, dem man so leicht absagen kann, sodass selbst ich mitgedackelt bin.

Mehr war es am Anfang nicht. Ich bin mitgedackelt. Hab mich eher am Rand gehalten und gehofft, dass mich keiner anspricht.

In der letzten Zeit bin ich aber »ein bisschen mehr aus mir herausgegangen«, wie Sarah es ebenso wohlwollend wie überheblich formuliert. Und es geht mir sogar noch besser, wenn Sarah gar nicht dabei ist, sondern ich nur mit Alison und Dina zusammen bin. Mit den beiden gibt es immer was zu lachen. Graham ist natürlich auch in Ordnung. Und Mark. Nur Liam mag ich nicht so gerne, weil er immer so laut und aufgedreht ist. Außerdem muss ich an Liam Bradbury denken, sobald jemand seinen Namen sagt. Aber ich kann wohl kaum für den Rest meines Lebens Leuten, die Liam oder Tracey oder Barry oder Gemma heißen, aus dem Weg gehen, nur weil sie mich an Dinge erinnern, die ich lieber vergessen würde.

Manchmal hängt auch Alexander Fraser bei uns rum,

aber zum Glück fährt er total auf Sport ab und ist die meiste Zeit damit beschäftigt. Es ist für mich die reinste Qual, wenn er dabei ist. Wenn ich diesen Namen höre.

Alex. Alex. Alex.

Und ich mich ständig bemühen muss, nicht zu reagieren, weder mit einem Zucken noch mit einem Blinzeln.

Moira findet es »nett«, dass ich ein paar Freunde gefunden habe und dass ich ein bisschen mehr rauskomme. Nur einmal war sie nicht so begeistert, nämlich als ich letzte Woche bei Alisons Geburtstag ein bisschen zu kräftig gefeiert und dann auf den neuen weißen Teppich gekotzt habe, den Moira gerade fürs Wohnzimmer gekauft hat.

Dabei ging es ihr gar nicht so sehr um die Flecken oder die Reinigungskosten, sondern um mich. Ich musste also einen längeren Vortrag über die Gefahren des Alkohols über mich ergehen lassen. Als ob ich das nicht wüsste! Ich selbst war weniger besorgt um meine Leber als um meine Zunge. Und ich wurde richtig nervös, weil ich nicht wusste, was ich vielleicht erzählt hatte, während ich in diesem Club rumgetorkelt bin. Was ich möglicherweise von dir erzählt habe.

Hör auf, Josie, hör auf!

Konzentrier dich auf die Unterhaltung. Wozu hängst du mit deinen Freunden ab, wenn du nicht ein Wort von dem hörst, was sie sagen? Wenn du dich immer wieder in Richtung Albtraum verabschiedest?

»Oh Gott, sie haben es echt gemacht«, sagt Alison.

»Was denn?«, fragt Mark, der offenbar auch nicht aufgepasst hat.

»Ihn getötet«, sagt Alison und nickt in Richtung Fernseher, der in der Ecke des Studentencafés vor sich hin murmelt. »Diesen Typen in Amerika, der die ganzen kleinen Kinder erschossen hat. Sie haben ihn mit der Giftspritze hingerichtet. Er ist nicht begnadigt worden.«

»Gut«, meint Sarah. »Solche Leute verdienen es nicht, zu leben.«

Ich blicke auf und versuche zu verstehen, was der Nachrichtensprecher sagt, aber es gelingt mir nicht, weil Alison unsere eigene Diskussionsrunde eröffnet hat.

»Ja«, stimmt Dina zu, »wir sollten die Todesstrafe für solche Leute auch bei uns wieder einführen.«

»Aber dann wären wir doch genauso schlimm wie die Mörder«, sagt Mark. »Auge um Auge, Zahn um Zahn und der ganze Mist.«

»Nein! Zur Abschreckung. Damit die Leute es sich besser überlegen, ob sie wirklich in der Gegend rumballern wollen.«

»Aber es funktioniert doch nicht, oder? Wer so was tut, ist doch krank, oder? Da denkt man doch nicht vorher vernünftig drüber nach.«

»Ja, und was ist mit den Leuten, die verurteilt werden und bei denen man irgendwann später feststellt, dass sie doch unschuldig waren? Denen hilft es dann nicht mehr viel, wenn sie schon gehängt wurden oder auf dem elektrischen Stuhl gelandet sind.«

»Na ja, solche Fälle sind doch ziemlich selten. Und was ist mit den Opfern? Haben die nicht Gerechtigkeit verdient? Mich nervt es tierisch, wenn ständig über die Rechte von Straftätern geredet wird. Die haben keine Rechte verdient!«

Es herrscht ein reger Schlagabtausch, bis ich ganz wirr werde bei dem Versuch zu verfolgen, wer was sagt.

»Und was meinst du, Alex?«

Ich mache den Mund auf. Und wieder zu, als Alex Fraser antwortet.

»Keine Ahnung«, sagt er. »Ich meine, es ist nicht so einfach, oder?«

Er hat nicht gerade viel zur Diskussion beizutragen, aber das macht nichts, weil alle anderen mehr als genug zu sagen haben. Und mit jedem Kommentar wird das Pochen in meinem Kopf lauter und der Schmerz in meiner Brust stärker. Ich will einfach nur raus, bin aber nicht in der Lage, auch nur einen Muskel zu rühren.

»Wenn ein Hund böse wird«, sagt Sarah, »dann muss man ihn einschläfern lassen, oder? Wenn er schon mal ein Kind angefallen hat, lässt man ihn nicht mehr raus, damit er nicht noch eines zerfleischt.«

»Wir sprechen hier aber nicht über Hunde, Sarah«, entgegnet Alison. »Und wir sprechen nicht davon, dass man Mörder einfach freilässt.«

Das Wort »Mörder« scheint in der Luft zu schweben, und ich stelle mir vor, wie es sich auf meinen Kopf herabsenkt.

»Ach nein?«, meint Sarah. »Aber wie lange bleiben

die meisten von diesen Wahnsinnigen denn im Gefängnis? Neulich gab es so einen Fall ...«

Und mir wird fast schlecht in der Pause, die nun folgt. Ich lege die Hand über den Mund aus Angst, ich könnte losschreien, falls sie dich erwähnt.

»Ihr wisst schon«, sagt Sarah und blickt in die Runde. »Dieser Typ, der seine Vermieterin erschlagen hat. Er sollte eigentlich lebenslang für einen anderen Mord sitzen, aber sie haben ihn freigelassen. Er hat angeblich keine Gefahr dargestellt!«

»Äh, es ist gleich zwei«, sagt Dina mit einem Blick auf die Uhr. »Ich glaube, wir sollten ...«

Aber keiner hört auf sie. Sie hören jetzt Graham zu.

»Ich finde, Sarah hat Recht. Ich bin nicht für die Todesstrafe, aber ich finde, alle Mörder sollten lebenslänglich bekommen. Und lebenslänglich sollte auch wirklich genau das bedeuten: so lange sie leben. Sie sollten nie wieder freikommen. Wer einmal getötet hat, könnte es auch ein zweites Mal tun.«

Und während er spricht, schaut er mich an. Nicht weil er etwas weiß, sondern weil ich die Einzige bin, die noch gar nichts gesagt hat. Er versucht, mich in die Diskussion hineinzuziehen.

»Du glaubst also nicht, dass sich die Menschen ändern können?«, fragt Mark und kommt mir zu Hilfe.

»Nicht so sehr, nein«, meint Graham. »Es ist wie bei einem Baum, wenn der erst mal krumm gewachsen ist, kann man ihn nie wieder gerade biegen.«

Krumm. Genauso fühle ich mich. Innerlich ganz schief

und krumm und verknotet. Vielleicht hat er ja Recht. Vielleicht kann man niemanden wieder gerade biegen.

»Aber warum ist er überhaupt so krumm gewachsen?«, fragt Mark. »Weil man ihn in miserablen Bedingungen hat wachsen lassen. Darum. Wie die meisten Menschen, von denen wir hier reden. Aber wenn man die Lebensbedingungen verändert, wenn sie Bildung, Beratung und was man sonst noch so braucht bekommen, dann, ja dann glaub ich wirklich, dass sich einige von ihnen verändern würden.«

»Du bist im falschen Studiengang, Mark«, sagt Sarah plötzlich lachend, und ihre Miene hellt sich für einen kurzen Augenblick auf. »Du solltest Sozialpädagogik studieren. Aber es ist wie bei den ganzen Sozialarbeiter-Typen – nur Gerede, oder? Jetzt machst du dich vielleicht dafür stark, dass man diese Irren freilässt, aber du würdest dich ganz schnell beschweren, wenn einer von ihnen neben dir wohnen würde.«

»Von wegen Beschwerde«, sagt Dina und schwenkt ihre Uhr herum. »Es ist schon nach zwei. Ich weiß ja nicht, wie's bei euch ist, aber ich hab jetzt Vorlesung.«

Alle setzen sich langsam in Bewegung, bis nur noch Mark und ich übrig sind.

»Alles in Ordnung, Josie?«, fragt er.

Meine Kehle ist noch immer wie zugeschnürt und ich kann nur nicken.

»Na dann, auf geht's«, sagt er, packt meine Hand und zieht mich hoch.

Er lächelt mich an, während ich mich aufrappele. Er

schaut auf mich hinunter und hält meine Hand ein kleines bisschen länger fest als nötig.

Weil er keine Ahnung hat. Er hat keine Ahnung, wessen Hand er da hält.

Jemand beobachtet mich. Ich bin sicher, dass mich jemand verfolgt.

Angefangen hat es vor drei Tagen, am Mittwochabend auf meinem Heimweg nach der Diskussion im Studentencafé. Deswegen dachte ich zuerst, du wärst das, Alex. Ich dachte, ich wäre wieder kurz vorm Austicken, und hab mich immer wieder umgeschaut in der Erwartung, dass mich ein blondes Kind angrinst und mir zuwinkt.

Aber du warst nicht da. Soweit ich sehen konnte, war überhaupt niemand da. Na ja, natürlich waren da Leute. Hunderte von Leuten. Leute an Bushaltestellen. Leute, die in die Läden hinein- und wieder herausschossen. Leute im Zug. Keiner von ihnen schien sich für mich zu interessieren, selbst als ich einen Augenblick stehen blieb und mich umsah.

Nichts. Aber sobald ich weiterging, spürte ich es wieder. Fühlte die Blicke, die sich in meinen Rücken bohrten, hörte die leisen, zielgerichteten Schritte näher tapsen.

Ich habe Moira nichts davon erzählt. Auch sonst keinem. Weil es nicht wahr sein kann, oder? Es müssen Wahnvorstellungen sein.

Das hätte ja mein Beitrag zu der Diskussion im Café

sein können, oder? Wie sie sich anfühlt, diese Begnadigung. Diese zweite Chance. Rauszudürfen.

Beängstigend. Verdammt beängstigend. Immer mit einem Blick zurück über die Schulter. Wo man sich selbst und seine Opfer sieht. Die undeutlichen Schatten. Die Geister. Ganz zu schweigen von den richtigen Menschen. Dem Gesicht in der Menge, das man zu kennen glaubt. Das einen selbst erkennen könnte.

Wenn ich in der Lage gewesen wäre, normal zu denken, wenn ich schlau gewesen wäre, hätte ich dich oder mich gar nicht zu erwähnen brauchen, Alex. Ich hätte etwas sagen können, ohne dabei auf persönliche Dinge einzugehen. Ich hätte ihnen von Mary-Anne erzählen und dabei so tun können, als hätte ich es nicht mit eigenen Augen, sondern nur in einer Fernsehreportage gesehen.

Mary-Anne hat ihren Großvater erstochen, als sie gerade mal neun Jahre alt war. Im Jugendknast, wo sie dann hinkam, bewahrte Mary-Anne ein Album mit allen Zeitungsausschnitten auf, in denen das Monster beschrieben wurde, das einem wehrlosen Rentner dreiundzwanzig Messerstiche zugefügt hat.

Aber so war es nicht, hatte Mary-Anne erzählt. Er war kein wehrloser Rentner, er war ein dreckiger alter Mann, der ihre Mutter, ihre Schwester und sie selbst jahrelang missbraucht und gequält hatte.

Das Problem war, dass weder ihre Mutter noch ihre Schwester die Geschichte bezeugen wollten. Und die Geschworenen wollten nicht glauben, dass sie ihn in

Notwehr getötet hatte. Dreiundzwanzig Messerstiche klangen mehr nach unkontrollierter Wut als nach einem Versuch, sich zu verteidigen.

Die anderen Mädchen im Gefängnis waren sich nie so ganz sicher. Mary-Anne konnte sehr aggressiv, unheimlich und beängstigend sein, wenn das Aufsichtspersonal gerade nicht hinschaute. Keiner kam Mary-Anne zu nahe.

Auf die Psychiater und den Bewährungsausschuss muss sie einen etwas anderen Eindruck gemacht haben, denn als sie siebzehn war, wurde sie freigelassen. Ihre Juchzer und Freudenschreie waren bestimmt meilenweit zu hören, als man es ihr sagte. Jetzt würde es aber abgehen, erzählte sie allen. Keine krummen Dinger. Nichts, was sie wieder hinter Gitter bringen könnte. Aber Mann, sie würde es wirklich krachen lassen und die versäumte Zeit nachholen. Alkohol, Partys, Shopping. Sie konnte es kaum erwarten.

Weniger als ein Jahr später war sie wieder da. Allerdings nicht, weil man sie verhaftet hatte. Ihr einziges Vergehen war vielmehr der Versuch gewesen, in die Strafanstalt einzubrechen. Kaum zu glauben: in ein Gefängnis *ein*zubrechen! Die dumme Kuh wollte tatsächlich zurückkommen. Sie ist draußen einfach nicht zurechtgekommen. Hat es nicht gepackt.

Natürlich durfte sie nicht bleiben. Und hier hört meine Geschichte etwas abrupt auf, denn ich kann sie nicht zu Ende erzählen. Ich habe keine Ahnung, was mit Mary-Anne letztendlich passiert ist. Hat sie ein richtiges Verbrechen begangen, damit sie wieder eingelocht wurde? Ist sie bei Alkohol oder Drogen gelandet? Hat sie sich umgebracht? Alles möglich. Oder ist sie irgendwo da draußen und läuft ziellos herum, wie ich? Blickt zurück über die Schulter.

Ich bin so in Gedanken an Mary-Anne vertieft, dass ich fast meine Haltestelle verpasse. Ich hechte zur Tür, kurz bevor sie zugeschlagen wird. Aber ich bin nicht der einzige verträumte Passagier. Gleich hinter mir stürmt noch jemand nach draußen und reißt mich fast zu Boden.

Ich fahre herum, will mich beschweren, und in dem Augenblick weiß ich, dass ich es mir nicht eingebildet habe. Mich hat jemand verfolgt. Mich hat jemand gefunden.

Kapitel 12

Barrys Gesicht schwebt drohend über mir. Ich sehe, wie seine tätowierte Hand in die Hosentasche greift. Ich versuche zu rennen, als ich das Messer aufblitzen sehe. Ich schreie den Passanten etwas zu, aber sie hetzen nur zu ihren Zügen oder aus ihren Zügen und bekommen nichts mit. Es kümmert sie nicht, wie das Messer zusticht, so scharf, so glatt, dass ich es kaum fühle. Ich würde gar nicht merken, dass überhaupt etwas passiert ist, wenn sich mein Bewusstsein nicht irgendwie von meinem Körper gelöst hätte.

Ich schaue nach unten, aber nicht auf den Bahnhof, sondern auf einen Mann, der blutend in einem Kneipeneingang liegt, während eine undeutliche Gestalt davonrennt. Mein Dad? Ist es mein Dad? Hat er das getan? War er auch ein Mörder, wie sie behauptet haben? War es alles in meinen Genen? Vorherbestimmt? Ist es noch immer da?

Ein kleines Kind rennt hinter ihm her, aber das Kind bist nicht du, Alex. Es ist Denzil. Ein dünner, knochendürrer Denzil – sein Gesicht ist von blutenden Wunden übersät und aus seinem Mund kriechen Würmer, als er schreit.

Er ist nicht mehr draußen auf der dunklen Straße, sondern steht auf einem Tisch in meinem Klassenzimmer, wo ihn der Drachen anschreit, er solle da runterkommen, während Connor mit einem Gewehr reinplatzt und alle mit roter Farbe voll spritzt.

Nur ist es diesmal keine Farbe, sondern Blut. Es spritzt an die Wände, läuft an den Fensterscheiben hinunter und sammelt sich in Pfützen auf dem Fußboden. Die Pfützen werden immer größer, bis sie schließlich einen einzigen großen roten See bilden, in dem die Kinder ertrinkend herumzappeln.

Aber so ist es ja alles gar nicht. Es ist alles falsch. Ich bin es, die blutet. Ich ertrinke in meinem eigenen Blut, das meine Kehle überflutet.

Mein Körper bäumt sich plötzlich auf und zieht mich in sich zurück, sodass ich sehe, wie das Erbrochene in die graue Pappschale spritzt, die mir jemand vor den Mund hält. Meine Augen können nicht klar sehen, aber ich weiß, dass ich nicht in einem Bahnhof bin. Es ist ein Bett. Ein Krankenhaus, glaube ich. Aber ist es die Realität?

»Josie?«

Die Stimme klingt ziemlich real. Es ist eine vertraute Stimme, eine Stimme, die mich zurückholt. Ich schaue in das runde Gesicht mit den krausen blonden Haaren.

»Mum?«, frage ich.

»Ich bin's, Josie. Moira.«

Ich versuche, mir die Enttäuschung nicht anmerken zu lassen, als das Gesicht ganz zu sehen ist. Die Haare sind grau, nicht blond. Viel zu alt. Meine Augen fangen an, wild in der Gegend herumzuschauen, als funktionierten sie ganz von allein. Ich kann sie nicht steuern.

Sie suchen nach ihm.

Aber sie finden nur das kleine Krankenhauszimmer. Den Metallschrank. Das Waschbecken in der Ecke. Moira, die auf der Bettkante sitzt.

»Wo ist er?«, frage ich.

»Wer?«

»Barry.«

»Barry?«, fragt Moira.

»Er ist abgehauen, stimmt's? Er ist entwischt!«

»Du hast im Schlaf geschrien«, sagt Moira. »Du hattest einen Albtraum.«

»Das hat nicht zu dem Traum gehört«, sage ich. »Es war Barry. Barry hat mich niedergestochen.«

»Niemand hat dich niedergestochen, Josie«, sagt sie und sieht ehrlich verwirrt aus.

Meine Hände fahren über meine Brust, meinen Bauch, meine Rippen.

Da ist keine Wunde. Kein Blut. Kein Verband.

»Am Bahnhof«, sage ich. »Barry. Er hat mich niedergestochen. Das kann ich nicht geträumt haben. Das kann nicht sein. Jemand ist mir gefolgt. Ich hab mich umgedreht. Er war es. Es war Barry.«

Moira schaut mich einen Augenblick nachdenklich an und versucht zu begreifen.

»Der Mann, der mit dir zusammengestoßen ist, heißt Gordon Watson«, sagt sie ruhig. »Er hat auch den Krankenwagen gerufen, als du gestürzt bist. Zufälligerweise hatte er Tätowierungen, Josie. Ziemlich viele. Aber ansonsten sieht er überhaupt nicht aus wie Barry. Du bist offenbar in Panik geraten, Josie. Du hast die Tattoos gesehen und bist sofort ausgerastet.«

»Aber …«

Dann wird es mir klar. Das alles hier ist nicht die Wirklichkeit. Es ist alles Teil des Traumes. Ich liege immer noch auf dem Bahnsteig. So muss es sein.

»Komm schon, Josie. Setz dich wieder hin. Nicht wieder einschlafen«, sagt Moira und drückt einen Knopf neben dem Bett. »Du bist über zwei Stunden ohnmächtig gewesen.« Eine Krankenschwester kommt rein. Gibt mir einen Schluck Wasser. Dann eine Tablette. Dann noch einen Schluck Wasser, den ich in meinem Mund herumspüle, schmecke, fühle – in dem Versuch, die Realität zu erfassen.

»Der Mann, mit dem du zusammengestoßen bist, hat versucht, dich festzuhalten, zu stützen«, erklärt Moira mir, als die Krankenschwester gegangen ist. »Aber du hast ihn getreten und versucht, dich loszureißen. Und dann bist du hingefallen oder vielmehr ohnmächtig geworden, sagte er.«

»Und er hatte kein Messer?«, frage ich und greife nach Moiras Hand.

»Nein, kein Messer«, versichert Moira.

»Und kein Barry?«

»Nur in deiner Fantasie, Josie.«

Und genau das ist das Problem. Meine Fantasie geht oft mit mir durch, zu oft ...

Dieser letzte Aussetzer hat selbst Moira etwas nervös gemacht. Sie hat den Arzt gebeten, meine Tablettendosis wieder etwas zu erhöhen, und dafür gesorgt, dass ich ein paar zusätzliche Psychotherapie-Sitzungen bekomme.

Die fangen in den Osterferien an und sollen den ganzen Sommer über gehen. Damit ich die Prüfungszeit besser überstehe. Ich habe viel gefehlt und eine ganze Menge verpasst, aber das wird mir nicht angerechnet. Am College wissen sie nichts von meiner Vergangenheit und meinen Problemen. Mein Bewerbungsbogen war eine einzige Lüge, mit Ausnahme meiner Qualifikationen. Ich hab das Formular ausgefüllt, während meine Sozialarbeiterin neben mir stand und aufgepasst hat, dass ich nichts falsch mache oder irgendwelche Geheimnisse verrate. Ich hatte falsche Schulzeugnisse, eine falsche Heimatadresse – selbst eine nette Schein-Familie.

Für das College bin ich also eine ganz normale Studentin, und wenn ich die Prüfungen nicht bestehe, fliege ich möglicherweise raus. Und das will ich nicht.

College ist schon ein bisschen stressig, aber es ist eigentlich alles, was ich habe. Und deswegen mache ich Moira und der Psychotante auch immer was vor. Damit sie mir nicht verbieten, hinzugehen.

Ich sage ihnen, dass es mir wieder gut geht. Dass die Gespräche und Tabletten etwas bringen. Ich sage ihnen nichts von dem Gefühl, das ich habe. Dass ich immer noch verfolgt werde.

Und mehr ist es ja nicht. Ein Gefühl. Einbildung. Paranoia. Das weiß ich jetzt und deswegen kann ich damit umgehen. Alleine.

Und ich erzähle ihnen auch nicht, dass du wieder aufgetaucht bist, Alex. Auch damit werde ich alleine fertig. Ich werde nicht zulassen, dass du wieder die Oberhand gewinnst. Ganz bestimmt nicht.

Womit ich allerdings nicht fertig werde, ist, zu viel mit anderen zusammen zu sein, dauernd aufpassen zu müssen, was ich sage. Deswegen habe ich mich von den Leuten am College ein bisschen zurückgezogen und gehe nur noch einmal in der Woche aus oder so. Und wenn sie meinen, dass ich eine Streberin bin, die zu Hause bleibt, um auf ihre Prüfungen zu lernen, dann ist mir das auch egal.

Zuerst hat die süße Sarah mich ausgelacht, weil ich allein in der Bibliothek Mittagspause mache, aber bald ist es ihr langweilig geworden. Außerdem bin ich meistens gar nicht allein, weil Mark kommt und mir Gesellschaft leistet. In unserer College-Bibliothek darf nicht geredet werden, was mir sehr gelegen kommt. Also sitzen Mark und ich einfach da, essen unsere Brote und lesen unsere Bücher.

Mark sieht nicht so gut aus wie Graham, aber er ist auch nicht gerade hässlich. Eher Durchschnitt, eigentlich. Normale Größe, normale Figur, hellbraune Haare ohne bestimmte Frisur. Sie hängen einfach herum und tun, was sie wollen. Aber ein nettes Lächeln und schöne Zähne. Unglaublich weiße und gleichmäßige Zähne, wie bei Filmstars.

Wir reden natürlich auf dem Weg in die Bibliothek und zurück, und wenn ich wollte, könnten wir uns auch sonst mal verabreden. Aber ich lasse es lieber bleiben, weil wir neulich darüber gesprochen haben, was wir machen wollen, wenn wir fertig sind, und Mark sagte, er würde gerne Hundeführer bei der Polizei werden.

Vielleicht keine so gute Idee, mich mit einem zukünftigen Bullen einzulassen! Aber Mark, der Student, ist als Freund ganz in Ordnung.

Ich selbst musste einen totalen Rückschlag hinnehmen, was meine Zukunftspläne angeht. Meine Bewährungshelferin hat mir erklärt, dass ich unter Umständen nicht in einem Zoo arbeiten darf. Zu viele Kinder in der Nähe.

»Das ist doch bescheuert«, hab ich zu ihr gesagt. »Ich tu doch keinem was! Was sollte ich denn machen? Denken die, ich gehe mit der Mistgabel auf die Kinder los, oder was?«

Sie war nicht besonders beeindruckt von meinem Gefühlsausbruch, sondern sah eher so aus, als würde sie mir genau das zutrauen. Aber sie hat versprochen, sich noch einmal genau zu erkundigen.

Ich meine, das ist doch verrückt, oder? Ich weiß, dass ich nicht direkt mit Kindern arbeiten darf. Ich könnte also nicht Erzieherin werden oder so, selbst wenn ich das wollte. Aber man kann Kindern ja nicht komplett aus dem Weg gehen. Wahrscheinlich will ich selbst irgendwann mal Kinder haben. Oder auch nicht.

Einerseits will ich es. Das ist der Josie-Teil in mir. Aber ich habe Angst, dass unter zu viel Druck der Alex-Teil wieder hervorbricht. Ganz und gar. Und etwas Irres macht. Und dann wieder eingebuchtet wird, und das wäre ja überhaupt nicht gut für ein Kind, oder? Wenn es ins Heim gesteckt wird, weil seine Mutter im Knast ist.

Oder noch schlimmer ... was wäre, wenn ich auf das Kind losginge ... aber nein. Ich könnte einem Kind nie wehtun. Da bin ich mir ganz sicher.

Jetzt nicht. Nicht wenn ich wirklich ich bin. Nicht wenn ich unter meiner Kontrolle bin. Aber was, wenn die Halluzinationen übermächtig werden würden?

Oh Mann, nicht gerade der beste Zeitpunkt, über solche Dinge nachzudenken. Ich habe heute Nachmittag eine Prüfung. Das Gute daran ist, dass es die letzte ist. Das Schlechte ist, dass es Biologie sein wird, mein schwächstes Fach. Es fällt mir schwer, diesen verwirrenden Kleinkram im Kopf zu behalten, Gefäße, Organe, Knochen. Und das Problem ist, dass mir bei den Übungen, beim Sezieren, so leicht schlecht wird und ich mich nicht mehr richtig konzentrieren kann und deswegen hinterher alles anhand der Schaubilder in den Büchern nachvollziehen muss.

Es ist fast eine Kunst, den genauen Zeitpunkt zu treffen, wann ich den Prüfungsraum am besten betrete. Aber ich hab es inzwischen genau ausgeklügelt. Nicht zu früh, damit ich mich nicht in der aufgeregten Masse drängeln muss und die süße Sarah mir möglichst noch ins Ohr kreischt: »Ach, ich bin so nervös! Ich fall bestimmt durch! Ich weiß, dass ich durchfalle!«

Aber auch nicht so spät, dass ich die Letzte bin und alle sich nach mir umdrehen.

Obwohl ich diesmal genau den richtigen Zeitpunkt erwischt habe, ist es immer noch unheimlich. Ein großer Raum voller Leute, die schweigend dasitzen, man hört nur, wie die Unterlagen umgedreht auf die Tische gelegt werden und wie jemand alle Fenster öffnet. Gute Idee, denn hier drin ist es brütend heiß. Und ich trau mich nicht, die Ärmel aufzukrempeln, weil man sonst die Narben sehen kann.

Mal wieder typisch, oder? In den zwei Prüfungswochen kann man immer mit einer Hitzewelle rechnen.

Mir tropft schon langsam der Schweiß von der Stirn, und es ist fast eine Erleichterung, als die Aufsicht uns sagt, dass wir anfangen können. Und die Erleichterung wächst, als ich die erste Frage sehe. Es geht darum, Tiere in die verschiedenen Gattungen und Spezies einzuteilen. Das kann ich.

Auch die nächsten Fragen sind ganz okay. Es gibt nur wenige, mit denen ich nicht so recht klarkomme, und bei Nummer 5 weiß ich jetzt schon, dass ich sie ganz bis zum Schluss lassen muss.

Es ist ein Schaubild des Verdauungssystems von Kaninchen, und bis ich wieder darauf zurückkomme, hab ich nur noch zehn Minuten Zeit. Zehn Minuten, um mich zu erinnern, was wohin gehört und wie alles zusammenhängt.

Es musste natürlich ein Kaninchen sein. So einfach aufgeschnitten. Selbst der Anblick eines Schaubilds kann bei mir Würgereiz auslösen. Mir sind Tiere mittlerweile lebendig am liebsten, nicht tot.

Das erste Tier, das man dir ... Gemma ... mir ... im Therapiezentrum in der Strafanstalt überlassen hat, war ein Kaninchen namens Cola.

Pechschwarz. Sehr klein. Sehr süß. Ein Anfängerkaninchen. Eins von der Sorte, der es nicht viel ausmacht, wenn man es erst mal etwas zu grob anpackt. Nicht weil es dumm war oder so. Das war es nicht. Es war total schlau. Hat immer den Schrank mit dem Futter aufgemacht, indem es einfach die Pfote reingesteckt und gezogen hat, bis sie schließlich ein Schloss davor machen mussten.

Aber es war auch sehr zutraulich und so an Menschen gewöhnt, dass es einem hinterherhoppelte. Wenn man es nicht auf den Arm nahm, folgte es einem wie ein kleiner Hund. Und mir hat es nichts ausgemacht, dass es sich bei allen so benahm. Für mich war es irgendwie mein Kaninchen.

Was mir damals nicht klar war, war die Tatsache, dass Cola schon ziemlich alt war. Tieren sieht man das ja nicht so einfach an. Sie haben schließlich keine Falten, Brillen oder Krückstöcke. Und wenn sie dann irgendwann irgendwelche Alterserscheinungen zeigen, geschieht es ganz plötzlich.

Bei Cola fing es mit ein paar ausgefallenen Zähnen an, und eines Tages funktionierten dann die Hinterbeine nicht mehr. Er konnte sie nicht mehr bewegen. Und ich weiß noch, wie ich geschrien habe, als er dann versuchte, sich voranzuziehen, indem er sich mit beiden Vorderpfoten in den Boden seines Käfigs krallte.

Der Tierarzt schüttelte nur den Kopf, aber er gab ihm eine Spritze, und die schien zu wirken. Als ich Cola an jenem Donnerstagnachmittag in seinem Käfig zurückließ, schien es ihm wieder gut zu gehen. Aber er ist in der Nacht gestorben.

Ich wollte es erst gar nicht glauben, als sie es mir sagten. Ich wollte ihn sehen. Wollte es mit eigenen Augen sehen. Also haben sie den weißen Müllbeutel aufgemacht, das Leichentuch aus Plastik, in das sie ihn gehüllt hatten, und ich durfte ihn ansehen. Ich durfte auch einen Platz im Garten aussuchen, wo wir ihn begraben haben.

Diesen Tag im Garten werde ich nie vergessen. Wie ich darauf bestanden habe, dass wir eine Karotte neben seinen kalten, steifen Körper legen. Obwohl ich genau wusste, dass er sie nie fressen würde. Dass sie in dem Loch verfaulen würde, genau wie er. Dass es vorbei war. Endgültig. Schluss.

Ich war seit acht Monaten in der Strafanstalt, als Cola starb. Ich war zwölf Jahre alt. Und in dieser Nacht habe ich mich zum ersten Mal geschnitten.

Eine Hand greift nach unten und entwindet mir den Stift. Den Stift, der sich in meinen Arm bohrt. Miss Layton deutet mit dem Stift auf das Blatt. Und dabei deutet sie nicht irgendwohin, sondern gibt Hinweise. Sie deutet an, welche Bezeichnung zu welchem Körperteil gehört.

Sie schummelt, weil sie denkt, ich würde mir aus Prüfungsangst in die Haut bohren. Sie gibt mir den Stift zurück und schaut auf die Uhr. Zwei Minuten. Ich kann noch die Hälfte der Aufgabe schaffen, wenn ich mich beeile.

Und dann nichts wie raus. Hinterher noch zu bleiben, ist fast noch schlimmer, als lange vorher da zu sein. Alle gehen noch einmal haarklein durch, was sie geschrieben haben. Und der eine oder andere wird bleich, wenn Leute wie Sarah uns erklären, was wir hätten schreiben sollen.

Außerdem habe ich einen Grund, heute früh nach Hause zu fahren. Moira hat nämlich Geburtstag. Wir gehen aber nicht aus oder so, weil Moira sich nicht besonders gut fühlt. Es ist so eine Sommergrippe, die sie einfach nicht loswird und die ihr jetzt sogar auf die Bronchien geschlagen ist. Moira neigt zu Erkältungen und Atemwegsinfektionen, und deswegen meinte Frank, es wäre am besten, wenn sie nicht ausgeht, sondern er was vom Chinesen mitbringt. Moiras Lieblingsessen.

Heute Morgen kamen massenweise Karten für sie. Aber meine hab ich ihr noch nicht gegeben. Auch das Geschenk noch nicht. Und Lara und ich haben zusammengelegt für eine Flasche Champagner. Den richtigen. Das teure Zeug.

Moiras Kinder wohnen alle meilenweit entfernt. Mega-meilenweit wie zum Beispiel in Amerika und Neuseeland. Also bleiben nur Lara und ich, die mit ihr feiern, und wir wollen es richtig besonders für sie machen. Den Tisch schön decken mit Blumen und Kerzen.

Deswegen laufe ich jetzt quer durch den Innenhof und versuche, die Schritte hinter mir zu ignorieren. Sind sie echt oder nur eingebildet? Schwer zu sagen heutzutage.

»Josie!«, ruft jemand.

Die Stimme klingt ziemlich echt und kräftig und ich drehe mich um.

Mr Phinn. Was will der denn von mir?

»Gut gemacht«, sagt er und hastet näher.

»Wie bitte?«

»Ihr Ergebnis. Sie haben es doch bestimmt schon gesehen. Ich hab sie um die Mittagszeit rausgehängt«, sagt er und wischt sich mit einem weißen Taschentuch über das Gesicht.

Er war schnell. Wir haben seine Arbeit erst letzten Dienstag geschrieben.

»Sechsundachtzig Prozent«, sagt er. »Die beste Note. Spitze.«

Mein Gesicht glüht derartig, ich muss weiter.

Die Beste. Ich. Sechsundachtzig Prozent. Die Beste. Besser als Graham. Besser als Mark. Besser als Sarah. Die Beste. Sechsundachtzig Prozent.

Die Worte schwirren auf dem Heimweg in meinem Kopf herum wie eine irrwitzige Beschwörungsformel und drängen die Zweifel beiseite. Es ist ja nur ein einzelnes Ergebnis. Das bedeutet noch lange nicht, dass ich auch bei den anderen so gut abschneide. Vielleicht hat mich Mr Phinn ja auch mit jemandem verwechselt. Vielleicht hat er sich nur verrechnet.

Aber vielleicht auch nicht. Vielleicht bin ich wirklich die Beste. Ich. Sechsundachtzig Prozent.

Es ist schon erstaunlich, was für ein gutes Gefühl einem so was gibt. Ich fühle mich wohl in meiner Haut. Es war damals auch ziemlich gut, Gemma zu sein, die ihren GCSE-Schulabschluss bekam. Und dann die A-Levels. Auch wenn ihre Noten damals eher durchschnittlich waren. Nichts Besonderes. Keine sechsundachtzig Prozent. Keine Bestnote. Ich glaube nicht, dass ich in meinem Leben irgendwann schon mal die Beste in irgendwas war. Auch in Gemmas Leben nicht und in dem von Alex ganz bestimmt nicht. Es sei denn, man lässt Fußball oder die Auszeichnungen des Drachens auch gelten.

Es gibt eine Frauenfußballmannschaft am College und es hat mich schon ein paarmal gejuckt. Aber ich schätze, ich wäre nicht mehr besonders gut. Es ist zu lange her, dass ich das letzte Mal gespielt habe. Im Gefängnis gab es keinen Mannschaftssport. Zu gefährlich. Zu viele unsichere Kandidatinnen. Außerdem interessierten sich die meisten der Mädchen sowieso nicht für Sport, sodass ich manchmal einfach Federball und Tennis mit den Angestellten gespielt habe.

Ich schaue immer noch gerne Fußball, aber ich würde, wenn ich so drüber nachdenke, doch nicht mehr spielen wollen, weil es so viel mit damals zu tun hat und ich mich mehr auf das Heute konzentrieren sollte.

Jetzt bin ich Josie, die die Straße runterrennt, voller guter Neuigkeiten. Ich nehme mir vor, Moira während unseres schönen Essens davon zu erzählen, aber ich weiß, dass ich es nicht so lange aushalten werde. Ich werde damit herausplatzen, sobald ich sie sehe.

Ich. Die Beste. Sechsundachtzig ...

Meine Freudengesänge kommen zu einem jähen Ende, als ich den Krankenwagen sehe.

Nicht unser Haus. Bitte lass es nicht unser Haus sein.

Aber es ist unser Haus. Zwei Sanitäter schleppen eine Trage den Weg hinunter.

»Moira!«, rufe ich und fange an zu rennen.

Kapitel 13

Moiras Atem pfeift, während sie der Trage den Weg entlang folgt. Ich kann es hören, noch bevor ich das Tor erreiche und Lara dort liegen sehe, die Augen geschlossen, mit bleichem, schmerzverzerrtem Gesicht.

Und ich kann den Schmerz ebenfalls fühlen. Wirklich. Er fängt in meinem Kopf an, schießt im Zickzackkurs abwärts durch meinen Körper, als wollte er mich zerreißen.

»Sie ist die Treppe runtergefallen«, sagt Moira, deren Gesicht fast so bleich und verzerrt ist wie Laras. »Sie wollte eigentlich noch schnell die Enten füttern, bevor du nach Hause kommst, aber sie war so aufgeregt wegen meinem Geburtstag, dass sie gar nicht wusste, was sie als Erstes tun sollte. Schließlich wollte sie hochgehen und mein Geschenk holen. Das Nächste war dann schon ein Krachen. Sie muss oben gestolpert sein und ist dann die ganze Treppe der Länge nach runtergefallen, glaube ich.«

In Moiras Stimme klingt mehr Panik mit, als ich es jemals bei ihr gehört habe.

»Sie lag in so einem komischen Winkel«, flüstert Moira. »Konnte sich gar nicht bewegen. Überhaupt nicht. Ich glaube, sie hat sich was gebrochen. Ich glaube, sie hat sich den Rücken gebrochen.«

Lara stöhnt auf, und ich greife nach ihrer Hand, bevor sie sie in den Krankenwagen heben. Sie hält etwas umklammert und versucht, es mir zu reichen.

»Das Brot«, sagt Moira und fängt an zu weinen.

Ich habe Moira noch nie zuvor weinen gesehen und mir kommen auch die Tränen.

»Das Brot für ihre Enten«, sagt Moira. »Sie hat mein Geschenk fallen gelassen, aber das Brot hat sie festgehalten.«

»Gehst du sie füttern, Josie?«, fragt Lara ganz leise, sodass ich sie kaum hören kann.

»'türlich.«

»Versprochen?«

»Versprochen«, sage ich und nehme den Beutel, während sich ihre Augen wieder schließen.

»Ich hab Frank angerufen«, sagt Moira wieder ganz sachlich und trocknet sich die Augen. »Er kommt bald nach Hause. Dann kannst du ja vielleicht mit ihm zusammen ins Krankenhaus kommen.«

»Kann ich nicht jetzt mitfahren? Mit euch?«

»Im Moment fahr ich besser alleine mit«, sagt sie.

Ich will nicht alleine sein. Moira weiß das. Aber ich merke, dass sie sich jetzt ganz auf Lara konzentrieren will, deswegen lächele ich und nicke ihr zu. Versuche, tapfer zu sein.

»Denk dran«, sagt Moira, »du musst noch die Enten füttern. Das hast du Lara versprochen. Aber vergiss nicht, abzuschließen, ja? Nimm dein Handy mit und ich ruf dich an.«

Es folgen noch ein paar Anweisungen, die aber nicht mehr richtig bei mir ankommen, weil sich die Türen des Krankenwagens schließen und sie wegfahren, während ich mit tränenüberströmtem Gesicht auf der Straße stehen bleibe, die Brottüte in der Hand.

Ich gehe rein. Schmeiß mein College-Zeug in die Ecke. Ich weiß, dass ich das Brot auch in den Müll werfen könnte. Lara würde es nie merken. Aber sie wird danach fragen.

Was immer mit ihr passiert ist und in welchem Zustand sie auch sein mag, ich weiß, dass sie nach ihren Enten fragen wird.

Und ich könnte Lara nicht anlügen. Verrückt, oder? Mein ganzes Leben ist eine verdammte riesige Lüge, aber ich wäre nicht in der Lage, Lara in die Augen zu schauen und ihr zu erzählen, ich hätte ihre Enten gefüttert, wenn ich es gar nicht getan habe.

Außerdem: Was sollte ich sonst tun? Außer herumsitzen und mir Sorgen machen und warten. Das Haus auseinander nehmen auf der Suche nach einer Schere. Und das wäre jetzt wirklich nicht das Richtige für Moira, verstanden, Josie? Sie hat gerade ganz andere Sorgen.

Also schließe ich ab und mache mich auf den Weg in den Park. Außen rum. Mit mir und den Brücken wird das heute nichts mehr.

Es ist kurz nach sechs. Noch immer ist es ziemlich heiß und die Leute wollen die letzten Sonnenstrahlen erhaschen. Sie liegen in ihren Gärten, sitzen vor den Kneipen oder spazieren in Richtung Park. Aber lange werden sie nicht mehr draußen sein, weil die Wolken schon näher ziehen, und ich glaube, dass ich gerade schon ein erstes Donnergrollen gehört habe.

Komisch, dass das Wetter so schnell umschlagen kann. Wie Gefühle eigentlich. Die ganze Freude über meine Prüfung. Weg. Bedeutungslos. Was spielt das schon für eine Rolle, während Lara auf dem Weg ins Krankenhaus ist?

Ich weiß nicht, warum, aber Lara bedeutet mir etwas. Es erschreckt mich, als mir das so richtig klar wird. Ich will nicht, dass sie mir etwas bedeutet. Ich will nicht, dass mir überhaupt jemand etwas bedeutet. Weil es *wehtut*. So weh, dass ich das Tor zum Park zuknalle, nachdem ich hindurchgegangen bin. Eine leere Coladose wegkicke. Dann einen Stein. Alles, was mir in die Quere kommt.

Im Park ist ein Jahrmarkt aufgebaut. Ich sehe das Riesenrad, noch bevor ich die Musik höre. Fröhliche Musik. Musik, die sich über mich lustig zu machen scheint.

Und einen Augenblick glaube ich, dass gar nicht Blitz und Donner näher rücken, sondern nur die blitzenden Lichter und der wummernde Bass. Eine nette Vorstellung, aber schon klatscht mir ein riesiger Sommerregentropfen in den Nacken und zerstört die Illusion.

Es wird Zeit, dass ich weiterkomme, aber weil ich außen herum in den Park gegangen bin, muss ich jetzt mehr oder weniger durch den Jahrmarkt hindurchgehen, um zum See zu kommen.

Und Jahrmärkte haben eine hypnotisierende Wirkung auf mich. Schon immer gehabt. Als ich noch ein Kind war, als ich noch Alex war, bin ich oft auf Jahrmärkte gegangen. Zuerst mit meiner Mutter, als ich noch ganz klein war, weil sie Jahrmärkte auch total toll fand, meine Mum.

Als ich dann etwas älter war, bin ich alleine oder mit meinen Freunden gegangen. Ich weiß noch, dass ich eine Weile sogar mal auf einem Jahrmarkt arbeiten wollte. Ich schätze, sie kamen mir damals wild, exotisch und gefährlich vor. Bestimmt waren es nicht so heruntergekommene, dreckige Bruchbuden wie auf diesem hier.

Aber dieser fantastische Jahrmarktgeruch ist da. Frittierte Zwiebeln, brutzelnde Burger, Liebesäpfel … Ich hab zwar gerade überhaupt keinen Hunger, aber dieser Duft ist wunderbar. Außer dem eklig süßlichen Gestank der Zuckerwatte. Ich hasse Zuckerwatte. Als ich klein war, war ich ganz wild darauf, aber jetzt finde ich sie schrecklich.

Die Fahrgeschäfte sind alle in Betrieb, aber es ist nicht viel los. Die Flaute zwischen den Eltern mit Kindern am Nachmittag, die jetzt alle nach Hause gehen, und den Teenie-Horden, die erst gegen Abend einfallen, vermute ich.

Ich schlendere ein bisschen herum und finde noch mehr Sachen, denen ich einen Tritt verpassen kann –

Bonbonpapiere, Bierdosen. Dabei versuche ich, den stärker werdenden Regen zu ignorieren. Ich trete mit voller Kraft gegen die Dosen. Aggressionsmanagement nennt man das. Gegenstände darf man treten und schlagen. Menschen nicht.

Warum bin ich aggressiv, wütend? Weil ich so Schmerz umsetze. In Wut. Und weil es einfach nicht fair ist. Es ist nicht fair, dass Lara jetzt im Krankenhaus liegt. Dass sie womöglich in einem beschissenen Rollstuhl landet. Dass all das an Moiras Geburtstag passieren musste.

»Drei Darts für ein Pfund«, ruft mir ein gelangweilter Budenbetreiber zu.

Aber ich würde mir selbst mit Darts-Pfeilen nicht trauen.

Lieber bleibe ich vor der »Spinne« stehen, bei der mir schon vom Zugucken ganz schwindelig wird. Außer dem kleinen blonden Kind und seiner Mutter sitzt keiner drin. Und selbst die sind nicht wirklich da.

Das bist du, Alex, stimmt's? Mit deiner Mutter in der Spinne, als du ungefähr fünf Jahre alt warst. Du hast gelacht und gekreischt, damit sie ja nicht merkte, wie viel Angst du in Wirklichkeit hattest.

Nicht dass sie es überhaupt bemerkt hätte. Sie selbst amüsierte sich bestens und hatte nur Augen für den Typen, der unseren kleinen Wagen drehte. Den Aufpasser mit den langen dunklen Haaren und den dicken unechten Goldketten.

Später, als der Jahrmarkt schon geschlossen war, hast

du im Dunkeln auf den Stufen der Spinne gesessen und die Zuckerwatte gegessen, die deine Mutter dir gekauft hatte. Zuckerwatte, die ganz feucht und salzig schmeckte von deinen Tränen.

»Warum weinst du denn?«, hat deine Mutter gefragt, als sie zurückkam. »Ich hab dir doch gesagt, es dauert nicht lang, oder? Ich war bestimmt nicht länger als eine halbe Stunde weg.«

Vielleicht nicht. Aber dir war es länger vorgekommen. Viel länger.

Sie nahm dich auf den Arm, knuddelte dich und gab dir das Gefühl, dass alles wieder gut war. Du bist in ihrem Arm eingeschlafen, und als du aufgewacht bist, warst du in deinem eigenen Bett. Die hart gewordenen Reste der Zuckerwatte klebten in deinem Gesicht, sodass es wehtat, als du rufen wolltest.

Davon weiß keiner etwas. Ich hab nie irgendjemandem erzählt, wie meine Mutter mich spätnachts auf dem Jahrmarkt allein gelassen hat. Ich hab noch viele andere Sachen nicht erzählt. Wozu? Meine Mutter wollte mir nie wehtun oder mir Angst machen. Sie hatte mich lieb. Oder? Jedenfalls glaube ich, dass sie mich lieb hatte, damals.

Ich hab sie jedenfalls geliebt. Liebe sie immer noch.

Und was damals passiert ist, die schlimmen Sachen, das war ja nicht ihre Schuld, oder? Es macht mich manchmal echt wütend, wenn ich mich an die Gerichtsverhandlung erinnere. Wenn ich daran denke, was meine Verteidiger gesagt haben. Wie sie versucht haben, meiner Mutter die Schuld in die Schuhe zu schieben. Weil sie angeblich nicht in der Lage war, ordentlich für ein Kind zu sorgen.

»Wie auch?«, haben sie gesagt. »Was für eine Art von Familienleben hatte sie denn kennen gelernt? Sie war selbst seit ihrem siebten Lebensjahr in Heimen und Pflegefamilien.«

Das stimmte. Sie war ein Heimkind. Na und? Es gibt jede Menge Heimkinder und Pflegekinder. Wie Lara. Das ist doch nichts Besonderes. Deswegen werden aus ihnen noch lange keine schlechten Menschen, oder?

Manchmal hat mir Mum ein bisschen was erzählt, und ich wünschte, ich hätte damals besser zugehört. Ich wünschte, ich wüsste mehr von dem, was passiert ist. Wie sie sich gefühlt hat. Aber Ich weiß es nicht. Ich weiß überhaupt nicht mehr viel, außer dass ihre Mutter, meine Oma, die ich nie kennen gelernt habe, eines Tages einfach verschwunden ist. Hat fünf Kinder verlassen und ist nie zurückgekommen. Mums Vater wurde nicht damit fertig, und nach und nach kamen die Kinder ins Heim oder in Pflegefamilien. Zuerst die Mädchen. Dann die drei Jungs. Mum hat mir mal die Namen von allen gesagt, aber ich hab sie vergessen.

Das Jugendamt hat eine Zeit lang darauf geachtet, dass die Kinder untereinander Kontakt hatten. Es gab gemeinsame Wochenenden mit ihrem Vater. Aber dann ist er irgendwann nicht mehr aufgetaucht und alles ist irgendwie auseinander gebrochen. Die Kinder wanderten von Pflegefamilie zu Pflegefamilie; zwei von den Kleinen wurden schließlich adoptiert. Aber meine Mutter wollte wohl keiner haben. Sie meinte, sie wäre bei sechs oder sieben Familien gewesen. Keine kam lange mit ihr zurecht, vor allem als Jugendliche.

»Es war bestimmt nicht einfach mit mir«, hat sie mir immer gesagt, »aber am Ende ist doch noch ein anständiger Mensch aus mir geworden, oder?«

Und das stimmte. Genau darum geht es, sie war voll in Ordnung, meine Mutter. Es war nicht ihre Schuld, dass ich so geworden bin. Sie hat meinetwegen alles verloren.

Einer ihrer Träume, etwas, wovon sie immer redete, wenn sie guter Dinge war, war es, ihre Familie eines Tages wiederzufinden. Ihren Vater, ihre Brüder und ihre Schwester. Vielleicht sogar ihre Mutter. Sie konnte sich immer total dafür begeistern, und die ersten paar Male, als davon die Rede war, war ich auch ganz begeistert von dem Gedanken, ich könnte Oma und Opa, Tanten und Onkel haben wie meine Freunde in der Schule. Ich hab mir die wenigen alten Fotos angeschaut und Mum zugehört, die erklärte, wie einfach das eigentlich wäre. Sie müsste nur mit dem Jugendamt Kontakt aufnehmen.

Aber das hat sie nie getan. Keine Ahnung, ob sie es je tun wird. Oder schon getan hat.

Vermutlich eher nicht, schätze ich mal. Und so wie die Dinge jetzt liegen, erst recht nicht. Was könnte sie ihnen schon erzählen? Was sollte sie sagen? Außerdem ist es gar nicht gut, zu viel zurückzuschauen, oder? Sich zu wünschen, dass alles anders gekommen wäre. Dass man noch mal von vorne anfangen könnte.

Hör dir mal selbst zu, Josie! Was sagst du da? Was tust du denn selber gerade? Jetzt. Genau in diesem Moment.

Aber das passiert einfach, wenn ich mich aufrege. Ich nehme es mir ganz sicher nicht vor, in die Vergangenheit einzutauchen. Sie kommt einfach ganz von selbst zurückgeschwemmt. Wie eine große Flutwelle und ich kann sie nicht aufhalten. Ich kann einfach nichts dagegen tun. Und die Spinne dreht sich die ganze Zeit, und mein Kopf dreht sich mit, aber ich kann den Blick nicht abwenden.

Komm schon, Moira. Ruf endlich an. Sag mir, was los ist. Gib mir etwas zu tun. Bring mich auf andere Gedanken.

Warum ruft sie nicht an, verdammt noch mal? Sie müssen doch inzwischen längst im Krankenhaus sein. Ihr muss doch klar sein, dass ich mir Sorgen mache.

Kein Handy, das ist der Grund. Ich Idiot! Ganz egal wie oft ich meine Hosentaschen abklopfe, ich kann nichts fühlen, weil da nichts ist. Das Handy liegt immer noch in meiner College-Tasche auf dem Flurboden. Dabei hat Moira mir extra gesagt, dass ich es mitnehmen soll.

Wie sind die Leute früher nur ohne Handy zurechtgekommen? Ich fühle mich total verloren ohne meins. Isoliert. Ausgesetzt. Geradezu nackt.

Immerhin kriege ich jetzt die Kurve, mich loszureißen. Moira wird völlig panisch werden, wenn sie vergeblich versucht, mich zu erreichen.

Wenn ich mich mit dem Entenfüttern beeile und mich überwinden kann, den kurzen Weg über die Brücke zu nehmen, kann ich in einer Viertelstunde zu Hause sein. Oder noch schneller, wenn ich renne. Aber selbst dann werd ich pitschnass werden, denn inzwischen regnet es ganz schön heftig.

Der See ist drüben auf der anderen Seite. Es ist ganz witzig zu sehen, wie sich die Leute am Spielplatz, an den Tennisplätzen und am Putting Green ihre T-Shirts über den Kopf ziehen und irgendwo Schutz suchen oder mit ängstlichem Blick auf die Bäume nach Hause rennen, während sich die ersten Blitze entladen.

»Typisch englisches Wetter!«, murmelt einer im Vorbeigehen. »So was von wechselhaft.«

Aber nicht nur das Wetter lässt sich schwer vorhersagen. Es ist das Leben selbst. Ganz gleich, ob schön oder schrecklich, man kann nicht darauf vertrauen. So geht es mir jedenfalls.

»Quak, quak, quak ...«

Die Enten sammeln sich am Ufer des Sees, und es klingt, als würden sie lachen. Na ja, sie sind schließlich gut dran, oder? Mit ihren wasserdichten Federn.

Ich kann verstehen, warum Lara sie so gerne mag. Sie sind total süß und irgendwie fröhlich. Aufgeregt. Freundlich.

Das Quaken wird lauter, als ich den kompletten Inhalt der Brottüte ins Wasser kippe. So laut, dass es eine

Weile dauert, bis das andere Geräusch an mein Ohr dringt.

»Mummy! Mummy! Mummy!«

Ich versuche, durch den Regen zu blinzeln, der mittlerweile fast undurchdringlich ist. Wie ein Wasserfall verdeckt er mir die Sicht auf das blonde Kind, das ein Stück entfernt am Ufer des Sees steht.

Natürlich kein richtiges Kind. Das kann nicht sein. Denn als ich vor einer Minute dort rübergeschaut habe, war es noch nicht da.

Das bist bestimmt du. Du im Alter von fünf Jahren. Aber es sieht nicht aus wie du. Denn selbst damals, als du erst fünf warst, hast du niemals Mädchenkleider angezogen. Immer nur Hosen, Shorts, Latzhosen und so was. Du hast total getobt, sobald deine Mutter versucht hat, dir ein Kleid anzuziehen.

»Mummy! Mummy!«

Das Mädchen, das da ruft, trägt ein Kleid. Ein kurzes, blau-weiß gepunktetes Etwas, das nass und tropfend an ihr klebt.

Das ist verrückt. Ich weiß, dass es verrückt ist, während ich auf sie zugehe. Ich weiß, dass es sie nicht wirklich gibt.

Aber statt sich in Luft aufzulösen, wird ihr Bild beim Näherkommen immer deutlicher und greifbarer. Auch das Gebrüll wird lauter, bis mir fast die Ohren platzen. Volle Kanne.

Aus der Nähe sieht sie überhaupt nicht aus wie du. Sie hat Sommersprossen. Jede Menge Sommersprossen.

Ihre Augen sind braun. Weit aufgerissen vor Angst. Auch ihre Haare sind eher rötlich als blond.

»Mummy! Ich will zu meiner Mummy!«

Was, zum Teufel, tu ich jetzt? Ich schaue mich um. Keiner da. Absolut keiner mehr im Park. Jedenfalls nicht, soweit ich sehen kann.

Lass es, Josie. Geh einfach weiter. Das ist nicht dein Problem. Du hast im Moment andere Sorgen. Du musst nach Hause und hören, wie es Lara geht.

Aber das Mädchen steht so gefährlich nah am Wasser und wird immer hysterischer.

Okay, denk nach, Josie. Du machst dem Kind Angst, wenn du einfach nur so dastehst. Mit verschmiertem Make-up, die Wimperntusche läuft dir in die Augen. Die Haare kleben dir überall im Gesicht. Du siehst bestimmt aus wie irgendein Monster, das gerade aus der Geisterbahn ausgebrochen ist.

Sag was. Sprich leise. Beruhige sie.

»Es ist alles in Ordnung. Deine Mum ist nicht weit weg. Sie kommt gleich wieder.«

»Ich will zu meiner Mummy! Ich will zu meiner Mummy!«

Oh, mein Gott! Ist es Instinkt oder Reflex, der mich nach ihr greifen und sie packen lässt, als sie aufs Wasser zustolpert.

Und dann weiß ich sicher, dass es sie wirklich gibt, denn sie tritt nach mir, trifft mich am Knöchel und gräbt ihre winzigen Fingernägel in meinen Arm. Offensichtlich hat man ihr eingeschärft, sich nie mit Fremden einzulassen.

Aber ich halte sie fest und bete, dass niemand kommt. Nicht gerade jetzt. Was würden sie denken? Wenn sie sehen, wie ich das Mädchen hier festhalte.

»Hör zu«, sage ich. »Hör mir mal zu. Ich bin Josie. Deine Mutter hat mich geschickt, dass ich dich holen soll. Ich bringe dich zu ihr zurück. Okay?«

Sie wird auf einmal ganz schlaff in meinen Armen. Hört auf zu schreien, als wäre sie plötzlich erschöpft. Im ersten Augenblick kriege ich einen Schreck, weil ich denke, ich hätte sie einfach erdrückt. Aber nein. Sie atmet. Schwer. Unregelmäßig. Aber sie ist unversehrt.

»Okay«, sage ich und lockere meinen Griff, bis ich sicher bin, dass sie allein stehen kann. »Ich bin Josie. Ich bin eine Freundin von deiner Mutter. Ich helfe dir jetzt, sie zu finden.«

Sie packt meine Hand. Hält sie ganz fest. Als ob sie mir vertraut. Oder als ob sie weiß, dass ich das Einzige bin, was sie im Moment hat.

»Okay«, sage ich wieder. »Wie heißt du?«

»Amy.«

»Und ich bin Josie, okay?«

»Josie«, wiederholt sie.

»Also, wo war deine Mum zuletzt ...?«

Schon während ich das frage, wird mir klar, dass ich keine Antwort bekommen werde. Amys Unterlippe beginnt zu zittern und sie schüttelt nur den Kopf.

Fehler. Ich hätte nicht fragen sollen. Sie denkt doch, dass ich es weiß und alles im Griff habe.

»Alles in Ordnung«, sage ich. »Ich weiß, wo wir sie finden.«

Es ist sinnlos, jetzt den Park abzusuchen, sonst flippt Amy wieder aus, wenn wir ihre Mutter nicht gleich finden. Am besten gehe ich zur Polizei. Und übergebe sie denen. Die werden schon wissen, was zu tun ist. Vermutlich hat ihre Mutter sie sowieso schon als vermisst gemeldet. Vielleicht sucht die Polizei sogar schon nach ihr.

Scheiße! Man darf mich nicht mit ihr erwischen. Als hätte ich sie entführt oder so. Schon der Verdacht würde genügen, mich wieder hinter Schloss und Riegel zu bringen. Ich muss kein Verbrechen begehen. Mir gar nichts zuschulden kommen lassen. Es würde schon genügen, wenn man mich hier so mit einem fremden Kind erwischt. Ich weiß es.

Sieh zu, dass du sie an jemanden übergeben kannst, und zwar schnell, Josie. Die Polizeiwache ist nicht weit über die Brücke. Schieb sie einfach rein. Sag, sie hätte sich verlaufen, und verschwinde, bevor irgendjemand zu viele Fragen stellen kann.

Aber die Brücke ist nicht einfach nur eine Brücke. Es ist eine Fußgängerbrücke über eine verkehrsreiche Straße, die an dieser Seite des Parks verläuft.

Du wirst da rübergehen müssen, Josie. Zusammen mit einem Kind. Dabei den Verkehr darunter hören. Und die Stimmen.

»Nimm ihn runter, Alex. Nimm ihn runter.«

Nicht stehen bleiben. Sie kriegt Angst, wenn du stehen bleibst. Du hast alles im Griff. Du weißt, wo du hin-willst. Und was du tust.

Dies ist heute, Josie. Nicht damals. Achte nicht auf die Stimmen. Sie können dir nichts anhaben. Achte nicht auf die Schreie, auf das Kreischen der Bremsen. Sie sind nicht wirklich da, Josie. Sie sind nur in deinem Kopf. Von früher. Mach schnell. Bleib nicht stehen. Halte ihre Hand fest. Und schau nicht nach unten. Was immer du tust, Josie, schau nicht nach unten.

Kapitel 14

Ich erstarre. Mitten auf der Brücke erstarre ich. Ich kann keinen Schritt vor- und keinen zurückgehen. Der Regen hat etwas nachgelassen, aber es ist keiner in der Nähe. Keiner kann helfen.

Amy zerrt an meiner Hand. Sie ist völlig durchnässt, zittert und fängt wieder an zu weinen.

»Mummy, Mummy ...«

Nicht, Amy. Bitte nicht. Es ist schon schlimm genug, ohne dass du schreist, dass mir fast der Kopf zerplatzt. Du weißt ja nicht, mit wem du hier unterwegs bist, Amy. Du weißt nicht, was ich vielleicht mache. Wozu ich fähig bin. Ich weiß selbst kaum, wer ich bin, wenn die Stimmen über mich herfallen.

Warum kann ich mich nicht bewegen? Es ist, als steckte ich in einer Art Zeitfalte, als hielten mich der Verkehrslärm und die Stimmen fest umklammert.

Wieder zieht Amy an meiner Hand. Drängend, verzweifelt.

»Ich will zu meiner Mummy!«

Und ich weiß genau, was sie fühlt.

Ehe ich weiß, wie mir geschieht, packe ich sie und drücke sie an mich. Stürze los.

Ich bleibe nicht stehen, als ich die Brücke hinter mir habe. Ich renne die Rampe auf der anderen Seite hinunter, biege scharf links ab, dann rechts, bis die Polizeiwache vor uns liegt.

»Jetzt wird dir ein lieber Polizist weiterhelfen«, erkläre ich Amy.

Ein lieber Polizist! Wie hab ich es nur geschafft, diese beiden Wörter zusammenzubringen? Nach allem, was ich mit den Bullen erlebt habe. Aber hier geht es nicht um mich. Hier geht es um Amy. Also wiederhole ich die Worte. Versuche, meine Stimme ganz normal klingen zu lassen, ausgeglichen und vernünftig.

Denn es ist ja noch nicht vorbei. Ich muss sie noch reinbringen. Und wer weiß, wer da drin ist. Rechtsanwälte, Bewährungshelfer, Sozialarbeiter. *Meine* Bewährungshelferin, *mein* Sozialarbeiter. Jemand, der mich erkennt und fragt, was ich mit dem Kind zu schaffen habe.

Wenigstens hat Amy aufgehört zu weinen. Ich stelle sie hin. Drücke die Tür auf. Nehme sie bei der Hand und gehe mit ihr rein.

Wir kommen nicht weit. Am Tresen steht ein junges Paar. Die Frau ist völlig hysterisch und schreit den Dienst habenden Polizisten an.

»Ich will jetzt keine von Ihren verdammten Fragen mehr beantworten! Ich hab's Ihnen doch schon gesagt. Sie ist verschwunden! Im einen Augenblick war sie noch bei uns und im nächsten ... Amy! Oh, mein Gott, dir ist nichts passiert, dir ist nichts passiert!«

Kaum lässt Amy meine Hand los, bin ich schon wieder draußen. Es ist erledigt. Vorbei. Fast. Ich bin noch nicht mal an der Straßenecke, als jemand hinter mir her läuft und mich am Arm packt.

Es ist der Typ aus der Polizeiwache. Amys Vater?

»Hallo, warten Sie«, sagt er, als ich ihn abschütteln will. »Sie haben uns ja gar keine Zeit gelassen, uns zu bedanken.«

»Keine Ursache«, sage ich und drehe mich weg.

Er hält mein Kurzangebundensein für Missbilligung, glaube ich, denn er versucht zu erklären.

»Wir wollten im Park picknicken«, sagt er, »aber als es dann angefangen hat zu regnen, mussten wir ganz schnell zusammenpacken. Wir haben alles in die Taschen gestopft und wollten schnell los. Als wir uns dann umgeschaut haben, war sie nicht mehr da. Amy war nicht mehr da! Wir hatten sie nur für ein paar Sekunden aus den Augen gelassen. Sie geht normalerweise nie alleine los und wir dachten ... oh Gott, was uns alles durch den Kopf gegangen ist. Diese ganzen Verrückten, die heutzutage unterwegs sind.«

Und er weiß nicht, dass er einer von ihnen Auge in Auge gegenübersteht.

»Wenn Amy irgendwas passiert wäre ...«, sagt er.

Es lässt den Satz unvollendet. Er weiß ja nicht, was er damit bei mir auslöst. Denn ich höre gar nicht mehr ihn. Ich höre andere Leute. Andere Familien, die nicht so viel Glück hatten. Die damals ihr Liebstes verloren, durch dich, Alex.

»Danke«, sagt er plötzlich und nimmt meine Hand. »Meine Frau und ich, wir … wissen Sie … ich möchte Ihnen nicht zu nahe treten … ich weiß, dass Sie nichts erwarten … aber wir würden Ihnen gerne … als Dankeschön …«

Er lässt meine Hand los und greift in seine Hosentasche, um ein Portmonee hervorzuziehen.

»Nein!«, sage ich und mache ein paar Schritte rückwärts. »Nein!«

»Verraten Sie mir wenigstens Ihren Namen«, ruft er mir hinterher.

»Ich bin Josie«, rufe ich zurück. »Ich bin Josie!«

Vielleicht werde ich eines Tages zurückblicken und stolz sein auf das, was ich heute getan habe. Moira meint, ich sollte das alles aufschreiben. All die kleinen Dinge, die mich selbstbewusster machen. All die kleinen Zeichen dafür, dass ich vorankomme.

Aber ich will nicht über die Zukunft oder die Vergangenheit nachdenken. Ich will mich auf das Hier und Jetzt konzentrieren und versuchen, so schnell wie möglich nach Hause zu kommen und zu hören, wie es Lara geht.

Ich bin schon fast an der Ecke von unserer Straße und will hinübergehen, als ein Auto vor mir anhält.

»Wo hast du gesteckt?«, brüllt Frank mich an. »Moira versucht die ganze Zeit, dich zu erreichen. Mach schon, steig ein.«

Frank hat mir am Anfang ein bisschen Angst eingejagt, bis ich mich an ihn gewöhnt hatte. Er hat nämlich eine total laute Stimme und klingt oft ärgerlich, auch wenn er es gar nicht ist.

»Was ist denn mit dir los, du bist ja klatschnass«, donnert er. »Du siehst ja schrecklich aus!«

Danke für das Kompliment, Frank!

»Willst du erst noch nach Hause und dich umziehen, bevor wir ins Krankenhaus fahren?«, fragt er.

»Nein«, antworte ich. »Mach einfach die Heizung an. Ich bin bestimmt bald wieder trocken. Wie geht's ihr? Wie geht's Lara?«

Über sein Gesicht geht ein Lächeln, und ich weiß, dass alles in Ordnung ist. Alles wird gut.

In der ersten Ferienwoche machen wir endlich unseren Ausflug in den Zoo. Moira und ich zerren die arme Lara aus dem Auto und in ihren Rollstuhl. Ein Bein ist normal, das andere steht steif nach vorne weg in seinem Gips. Weißer Gips, der mit Genesungswünschen und albernen Comiczeichnungen von Frank übersät ist.

Lara besteht darauf, dass ich sie schiebe, und schickt Moira los, sie soll Tüten mit Tierfutter kaufen. Ein gebrochenes Bein ist nicht besonders witzig, aber Lara macht wie immer das Beste draus, und es hätte ja auch viel schlimmer sein können.

Die arme Moira hatte das Sozialamt auf der Matte gleich am Tag nach Laras Unfall. So eine Frechheit. Moira hatte schon so genug zu tun, ohne auch noch ihre bescheuerten Fragebögen auszufüllen und eine Unmenge von Fragen zu beantworten, als würde man ihr vorwerfen, sie vernachlässige ihre Pflichten oder so.

»Es muss sein, Josie«, sagte Moira ruhig, als mir der Kragen platzte und ich rumgeschimpft habe.

Aber ich hatte einfach Angst. Angst, dass sie sagen könnten, Moira würde es nicht mehr schaffen. Dass Lara und ich irgendwo anders hinkämen. Denn das will ich nicht. Auf keinen Fall. Ich bin nicht blöd und weiß, dass ich irgendwann alleine zurechtkommen muss. Aber noch nicht jetzt, solange ich noch nicht mit dem College fertig bin.

Über den ganzen Trubel hab ich es überhaupt nicht geschafft, Moira von meiner Prüfung zu erzählen. Jedenfalls nicht bevor wir dann alle Ergebnisse bekommen hatten. In Bio hab ich ziemllchen Mist gebaut, aber der Rest war in Ordnung. Mehr als in Ordnung, meinte Moira, und natürlich hat sie sich total gefreut über den Kurs von Mr Phinn. Dass ich die Beste war.

»Er kratzt sich am Po!«, quiekt Lara und windet sich vor Lachen. »Schaut mal, der Affe kratzt sich am Po:«

Der Affe guckt beleidigt und klettert rasch an einem Seil hoch, schwingt in dem hölzernen Klettergerüst herum, rutscht das Seil wieder runter, wirft sich gegen das Drahtgitter des Käfigs, krallt sich daran fest und grinst uns an.

Und ich muss einfach zurückgrinsen. Ein Tierpfleger kommt mit einer Schubkarre voller Obst und Gemüse vorbei.

Das werde ich eines Tages sein! Meine Bewährungshelferin hat sich wie versprochen erkundigt, ob ich in Zoos arbeiten darf. Und anscheinend darf ich. Natürlich nur, solange ich keine Dummheiten mache und keine meiner Bewährungsauflagen verletze.

Deswegen hab ich auch niemandem von der Geschichte neulich im Park erzählt, der Sache mit Amy. Nicht mal Moira. Weil ich Angst habe, dass sie es nicht verstehen. Dass sie vielleicht sogar denken, ich dreh durch. Wieder mal! Und diesmal davon träume, Kinder zu retten.

Manchmal frage ich mich selbst, ob es vielleicht nur ein Traum war. Ob ich mir das alles nur ausgedacht habe. Ich glaube es nicht, aber möglich wäre es. Bei dem Durcheinander, das immer noch in meinem Kopf herrscht, ist alles möglich.

»Ohhhh, schaut mal«, ruft Lara. »Ist das nicht süß?«

Die Elefantenmutter steht da und hat den Rüssel um ihr Elefantenkind gelegt. Stolz. Beschützend. So soll es ja auch sein zwischen Müttern und ihren Kindern. Aber was ist dann schief gelaufen? Warum war Laras Mutter nicht so? Oder meine?

Hör auf, Josie. Hör sofort auf. Das hier ist ein schöner Ausflug und nicht die nächste Sitzung bei deiner Psycho-Tante.

Ich gehe noch regelmäßig hin. Zu meiner Irrenärztin, Beraterin, was immer sie ist. Vielleicht werd ich das immer tun müssen. Ich weiß es nicht. Moira meint, man braucht sich deswegen nicht zu schämen und dass irgendwelche Pop- und Filmstars Millionen für ihre

Therapie ausgeben. Dass es sogar geradezu hip ist, heutzutage!

Alison, vom College, will am liebsten Tierpsychologin werden. Sie sagt, wenn sie den Grundkurs bestanden hat, will sie noch ein paar Jahre weiterstudieren und ein Diplom machen.

Mr Phinn meint, ich könnte das auch, wenn ich wollte. Er sagt, ich sei schlau genug, um weiterzustudieren.

»Dann kannst du immer noch Tierpflegerin werden«, erklärt er mir. »Nur würdest du dann gleich eine Stufe höher einsteigen. Du hättest größere Chancen auf eine leitende Position irgendwann.«

»Die hier können wir füttern!«, ruft Lara. »Hier drin können wir alle füttern.«

Sie deutet auf ein Tor, durch das man in den Bereich mit den Streicheltieren kommt, die einem nicht gleich den Arm abbeißen, wenn man ihnen was zu fressen anbietet. Wir machen die Runde, und Lara fällt bei dem Versuch, ein paar Ziegen zu füttern, fast aus ihrem Rollstuhl.

Ich weiß nicht, was Lara einmal machen wird, wenn sie mit dem College fertig ist. Momentan macht sie so eine Art Alltagstraining. Grundlegende Rechen- und Sprachkenntnisse. Praktische Sachen wie Kochen und Haushalt und so was. Vielleicht wird sie ja auch mal was mit Tieren machen. Sie wäre bestimmt total gut.

»Und was ist mit den Tigern?«, fragt Lara, als die Futtertüten endlich leer sind. »Wir haben die Tiger noch gar nicht gesehen und die Giraffen und die Löwen und …«

Moira sieht jetzt schon erschöpft aus, also lassen wir sie ihm Café zurück und versprechen, dass wir in einer Stunde zum Mittagessen wieder da sind.

»Uäh, die küssen sich!«, ruft Lara.

Im ersten Augenblick glaube ich, dass sie die Tiere meint, aber nein. Sie deutet auf eine Bank, wo sich ein Teenie-Pärchen gegenseitig fast auffrisst.

»Machst du das auch mit deinem Freund?«, kichert Lara.

»Mark ist einfach nur ein guter Freund«, erkläre ich ihr. »Nicht *mein* Freund. Das ist ein Unterschied.«

Okay, ich war vielleicht ein bisschen dumm. Hab mich ein paarmal allein mit ihm getroffen und gemerkt, dass ich ihn viel lieber mag, als ich dachte.

Ich hab Moira ein wenig von ihm erzählt und meiner Psycho-Beraterin auch. Nur um mal zu sehen, um mal vorzufühlen.

Beide haben mir das Gleiche gesagt. Ich stehe ja mit Mark noch ganz am Anfang, dagegen ist nichts zu sagen. Aber wenn ich irgendwann eine wirklich ernste Beziehung eingehen will, wenn ich heiraten oder eine Familie gründen will, dann muss ich es sagen. Ich werde meinem Partner die Wahrheit sagen müssen.

Ja, klar doch. Welcher Mensch soll das denn schaffen? Wer könnte mich noch lieben, wenn er so etwas erfährt?

Und schlimmer noch, selbst wenn die Beziehung das übersteht und wir dann Kinder hätten, müsste ich es ihnen auch eines Tages erzählen? Müsste ich ihnen von dir erzählen?

»Hey, du hast mich eben fast umgeschmissen!«, brüllt Lara, als ich mit dem Rollstuhl über eine Kante holpere.

»Tut mir Leid, ich war in Gedanken.«

»Du sollst nicht in Gedanken sein«, schimpft Lara. »Du sollst dir die Tiere anschauen.«

Da hat sie natürlich Recht. Diese Gedanken haben nicht viel Sinn. Ich kann mir Josie mit vierzig oder dreißig oder selbst mit zwanzig nicht vorstellen. Ich weiß nicht, was für eine Zukunft vor ihr liegt oder ob es überhaupt eine Zukunft für sie gibt.

Wir marschieren also weiter, schauen uns die Tiger und die Giraffen an und essen mit Moira zu Mittag.

Am Nachmittag gehen wir mit den Tierpflegern mit, hören uns ihre kleinen Vorträge an, während sie die Seelöwen, die Pinguine, die Löwen und die Schimpansen füttern. Es gibt viel zu sehen und zu hören. Es ist einfach toll. Genial. Ich spendiere ein Eis für alle. Ein richtig großes mit einer Schokostange obendrauf. Und ich kann mich nicht erinnern, dass ich schon jemals einen Tag so genossen habe wie diesen.

Moira und ich quatschen und lachen noch immer wie Schulmädels, als wir uns schließlich auf den Weg zum Auto machen. Lara ist längst k.o. und schläft in ihrem Rollstuhl.

Ein altes Ehepaar lächelt uns zu, als es an uns vorbeigeht. Für sie sehen wir vielleicht wie eine Familie aus. Ich, meine Mutter und meine Schwester. Ein Spiel, das ich eigentlich schon den ganzen Tag gespielt habe. Ein albernes Spiel, ein kindisches Spiel, ich weiß, aber es macht mich glücklich, also was soll's?

»Alex! Alex!«

Neben mir fährt Moira zusammen, also muss die Stimme real sein.

Ich kann nicht anders. Ich drehe mich um. Ein kleiner Junge rennt volle Kanne den Weg entlang, seine genervten Eltern rufen hinter ihm her.

»Alex! Alex!«

Der Name kreischt in meinem Kopf wie Nägel über eine Schultafel, aber ich lasse mir davon den Tag nicht vermiesen. Ganz bestimmt nicht! Es war ein sagenhafter Tag. Einer der besten, die ich je erlebt habe. Einer, an den ich mich immer erinnern werde, was immer geschieht.

Wir bleiben einen Augenblick stehen. Lara murmelt etwas im Schlaf und Moira hält den Rollstuhl fest.

Und ich werfe einen Blick über die Schulter und schaue zurück. Wie ich es immer tue. Wie ich es wohl immer tun werde.